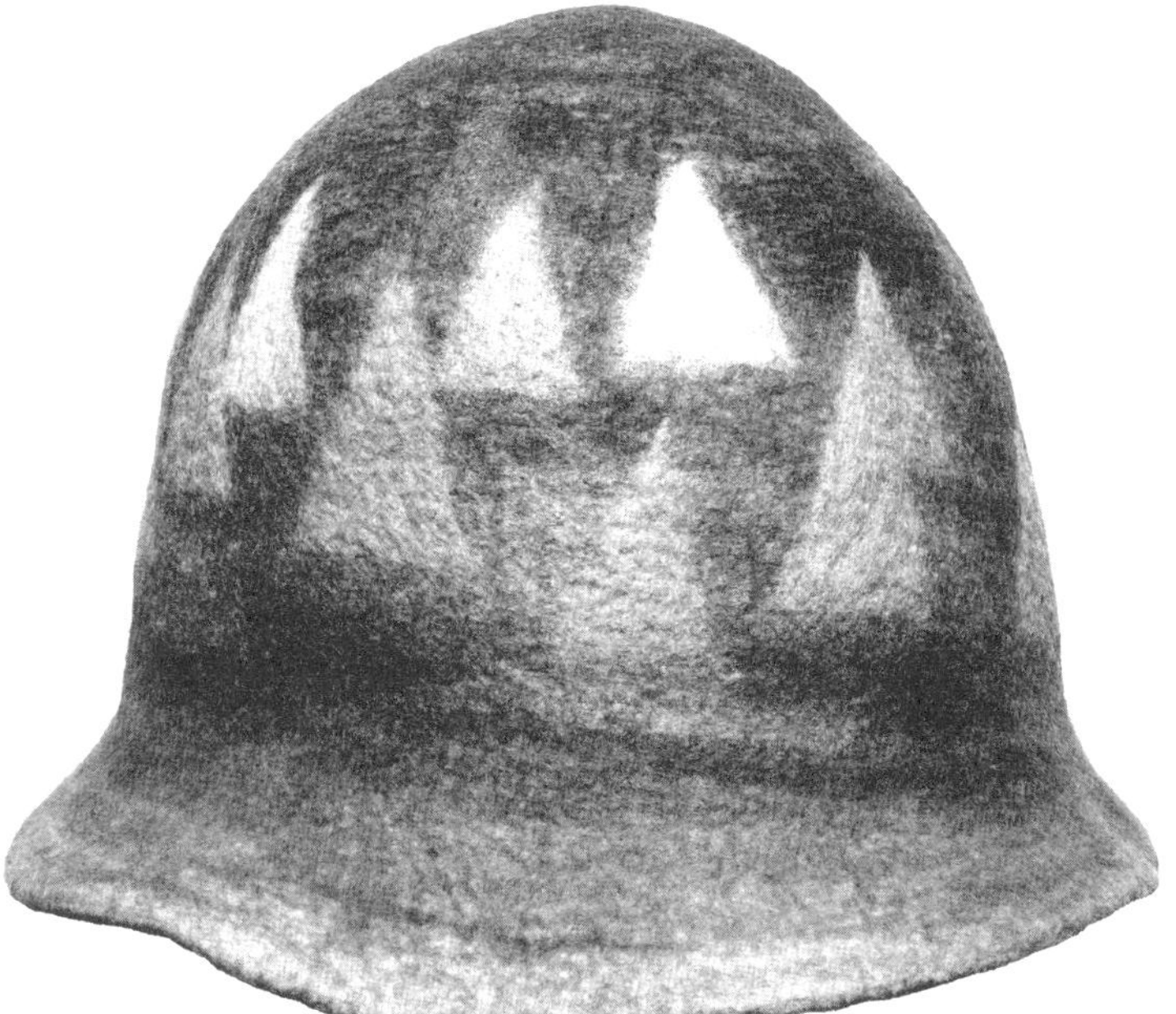

クリエイティブサウナの国ニッポン

こばやし あやな

学芸出版社

はじめに　世界が羨む、日本サウナの活気とクリエイティビティ

２０１８年末に『公衆サウナの国フィンランド』を上梓してから、あっという間に3年の月日が経ちました。出版前は、こんなにニッチなテーマの本を手に取ってもらえるのかと不安ばかりでしたが、たくさんの方が関心を寄せてくださり、こころから嬉しく思っています。また前著をきっかけに、フィンランド在住ゆえそれまで縁のなかった、日本のサウナ愛好家や施設関係者の方々との豊かな繋がりをもてたことは、わたし自身にとって何よりの喜びでした。

フィンランドの公衆サウナでも、日本人客の姿を見かける頻度が格段に増えました。施設オーナーたちも「日本ってそんなにご近所の国だったっけ⁉」と目を丸くしていたほどです。現地観光局も、この好況を察してにわかにサウナ・ツーリズムに本腰を入れるようになり、日本人目線でのアドバイスを求められる機会が増えました。わたしの本業は通訳コーディネーターですが、出版以来、実に20以上のフィンランド・サウナをテーマにした視察や取材撮影、番組ロケに立ち会いましたし、いまでも執筆や講演のご依頼を途切れなくいただいています。

まさかここまで、母国からのフィンランド・サウナへの眼差しを実感できる時代が来ようとは……。２０１５年ごろ、現地大学院で公衆サウナの論文を書いていた当時には想像もできなかった未来との対面に驚きながら、両国の橋渡し役として活動の拡がりを楽しんでいます。

ところが世界は突然に、信じがたい鎖国時代に突入しました。〈サードプレイス〉を謳っていたフィンランドの公衆サウナも、ソーシャルディスタンスが標準化した社会ではその存在意義を無慈悲に揺さぶられました。前著に出てきた施設の関係者たちは、先の見通せない不安やジレンマを抱え、いまももがき続けています。唯一、界隈に明かりをともしたのが、２０２０年12月に届いた「フィンランドのサウナ浴文化」ユネスコ無形文化遺産登録のニュース。このとき

[田辺温熱保養所](p.106)の蒸気浴装置　もとは江戸後期に蘭学医が考案した皮膚病治療用の画期的なサウナ室

ばかりは、久々に関係者の皆さんと手を取って、喜びを分かち合いました。

とはいえ、2021年になっても世界情勢は一進一退のまま。いま自分にできることで、フィンランドの公衆サウナ業界を元気づけられないものかと思案の末に思いついたのが、「日本のサウナブームを紹介する本を現地で出版する」という挑戦でした。本国にない独創的なサウナの数々に、きっとフィンランド人も刺激を受け、業界を再活性する新鮮なヒントを得られるはずだと考えたのです。

でもおそらく、日本の皆さんは首を傾げることでしょう。いくら空前のサウナブームとはいえ、本場のフィンランド人に向けて「日本サウナ」を紹介する意義があるのかと。けれどこの数年、フィンランド、日本、そのほか多くの国々の浴場文化を現地調査し、動向を追い続けるわたしが言うので信じてください。**2021年現在の日本のサウナ業界は、世界のどの国よりも、クリエイティブで、エネルギッシュで、人を惹きつけるポジティブな力に溢れています。**

もちろん、これは完全にわたしの肌感覚でしかありません。ですが、わずか数年の間に個性豊かなサウナ施設が全国に新設され、都会にも森にもテントサウナ®が組み立てられ、メディアが専門番組や雑誌を次々生み出し、数知れない愛好家がSNSで日々アクティブに情報交換しながら、ウィズ・コロナの時代でもモラルを守って〈ととのって〉いる……そんな奇特な国が、いま他所にあるでしょうか?

しばしば、「所詮はブームで、いつか飽きられる日が来る」とか、「日本人がどれだけ創意工夫を重ねても、本場の国々に敵うはずもない」という声を耳にします。日本のサウナ施設を訪れると、「本場のサウナを知っているあなたから見たら、こんなサウナ室や楽しみ方はまがい物に見えるでしょう?」と苦笑いされる方もいます。ですが、奥ゆかしい(?)謙遜は不要です。むしろ、日本人はいままさに、サウナという異国由来の入浴スタイルが〈ブーム〉から〈文化〉へ

静寂のサウナ室 [らかんの湯](p.50)の男性サウナ室では、暗がりの瞑想空間に一筋の外光だけが差し込む

と移ってゆく歴史的転換期に立ち会っているのだと、わたしは本気で思っているのです！

一時帰国のたびに全国のサウナ施設やイベントで出迎えてくれるのは、「日本のサウナをもっと面白くしたい！」「サウナを通じて地域社会に貢献したい！」という一心で、ワクワクする事業に挑む仕掛け人たちでした。自身の専門スキルを活かしてサウナ業界を盛り上げるユニークな活動家たちにも、数多く出会いました。彼らは一様に、サウナに対する偏愛的なまでの熱意があって、しかも、フィンランドのサウナ業界では誰も考えつかないような突き抜けた発想を形にしてゆくセンスと行動力をもっています。好きであるがゆえにどんどん熾烈になる、常識に縛られないアイデア合戦。昨今の日本サウナ業界のエンジンは、まさにそこにある気がします。そしてそれは、日本が「サウナとはこうあるべき」という重い伝統や習慣に縛られない〈サウナ新興国〉だからこそ、成し得るのだとも感じています。

何千年に及ぶフィンランドのサウナ浴の歴史は、今日まで大事に保全されてきた自然資源や気候風土の賜物であり、絶対不動です。さらに、性善説や寛容の精神にもとづく成熟した市民社会のあり方が、フィンランド・サウナの自由でおおらかな気風をつくり出していることは、前著『公衆サウナの国フィンランド』で強調したとおりです。

ですが伝統はときに、常識や解釈を覆してまったく新しいものを生み出そう、という革新的な動きを鈍らせます。フィンランド・サウナは、工法技術こそ進化しつつも、基本的な構造や作法自体は、長らく大きな変化を遂げていません。また、全人口がたった550万人強で極北に位置するフィンランドは、国内における地域性の差異が圧倒的に乏しい上、市場も小さい。サウナ施設においても、クオリティはどこも素晴らしいのだけど個性や地域性を打ち出すのが難しい、という課題に直面しているのです。これらの点においては、日本のサウナ業界はむしろ、フィンランドが羨む大きな可能性を秘めているといえるのではないでしょうか。

信楽焼の水風呂釜　奈良の［ume,sauna］(p.86)が備える水風呂釜は、日本古来の美術品

自然のなかで外気浴　季節や地域で表情を変える自然に囲まれたクールダウンも、日本サウナの魅力のひとつ

そういうわけで、フィンランド人を唸らせるような日本の事例集めをコツコツ進めていたのですが、執筆を進めながら別の思いも強まっていました。日本の皆さんにこそ、いまの日本サウナを取り巻く状況のユニークさに気づいてほしい、と。取材で見聞きした日本らしい「クリエイティビティ」は、わたしのように一度母国を離れると特別なものとして目に映りますが、おそらく多くの日本人にとっては灯台下暗しなのです。だからこそ、本国の皆さんにも読んでもらいたい。そう考えて日本語に再編したのが本書です。

取材や情報収集においては、まさに2021年現在の日本サウナ業界を牽引する方々や施設に、全面的な協力をいただきました。彼らのアイデアと実践はいずれも、現代社会に呼応しつつも普遍性に満ちた、クリエイティブで示唆に富んだ事例ばかりです。

サウナ愛好家にとって、草分け的な仕掛け人たちの流儀は、今後のサウナライフをさらに楽しむヒントに溢れているでしょう。未体験だけれどサウナが気になっている人や、サウナを通じた新規事業を目論んでいる人にとっては、業界のリアルな動向や常識、最新プロジェクト、そして先駆者たちの思考と熱量を知るきっかけになるはずです。

ぜひ一緒に、日本サウナ史上もっとも面白い時代の生き証人になりましょう！

個性豊かなサウナハット　SAUNA HAT FACTORY(p.150)の一点物のハットは、サウナ浴中のファッションアイテム

本書に登場する
ニッポンのクリエイティブサウナ

凡例　要予約　要予約または宿泊施設併設の浴場　Ⓜ　男性専用施設

- ・全館サウナ付ホテルチェーン ドーミーイン (p.17)
  https://www.hotespa.net/dormyinn/list/
- ・サウナイキタイ (p.144)
  https://sauna-ikitai.com
- ・SAUNA HAT FACTORY (p.150)
  https://sauna-hat-factoru.com

北海道

大森ガーデン (p.164)　※サウナはありません
〒089-2446 北海道広尾郡広尾町字紋別 14 線 73-2
http://omorigarden.com/

東北

MARUMORI-SAUNA (p.121) 要予約
〒981-2116 宮城県伊具郡丸森町不動 64-1

関東

黄金湯 (p.38)
〒130-0012 墨田区太平 4-14-6
https://koganeyu.com/

サウナラボ神田店 (p.62) 要予約
〒101-0054 東京都千代田区神田錦町 3-9
http://saunalab.jp/kanda/

ファンタジーサウナ＆スパ おふろの国 (p.157)
〒230-0012 横浜市鶴見区下末吉 2-25-23
http://ofuronokuni.co.jp/

The Sauna (p.122) 要予約
〒389-1303 長野県上水内郡信濃町野尻 379-2
https://lamp-guesthouse.com/sauna/

湯乃泉 草加健康センター (p.13)
〒340-0046 埼玉県草加市北谷 2-23-23

オーパークおごせ (p.17)
〒350-0415 埼玉県入間郡越生町上野 3083-1

ソロサウナ tune (p.17)
〒162-0808 東京都新宿区天神町 23-1

天空のアジト マルシンスパ (p.115) Ⓜ
〒151-0073 東京都渋谷区笹塚 1-58-6 マルシンビル 10F

サウナ＆ホテル かるまる池袋 (p.115) Ⓜ
〒171-0014 東京都豊島区池袋 2-7-7 6F

東京ドーム天然温泉 Spa LaQua (p.116)
〒112-0003 東京都文京区春日 1-1-1

ひだまりの泉 萩の湯 (p.145)
〒110-0003 東京都台東区根岸 2-13-13

おふろ café　utatane (p.166)
〒331-0815 埼玉県さいたま市北区大成町 4-179-3

中部

サウナ＆カプセルホテル ウェルビー栄店 (p.62) Ⓜ
〒460-0008 愛知県名古屋市中区栄 3-13-12
https://www.wellbe.co.jp/sakae/

サウナ＆カプセルホテル ウェルビー名駅店 (p.62) Ⓜ
〒450-0003 愛知県名古屋市中村区名駅南 1-25-2 名鉄レジャック 4F
https://www.wellbe.co.jp/meieki/

サウナ＆カプセルホテル ウェルビー今池店 (p.62) Ⓜ
〒464-0850 愛知県名古屋市千種区今池 5-25-5
https://www.wellbe.co.jp/imaike/

サウナラボ名古屋店 (p.62) 要予約
〒460-0008 愛知県名古屋市中区栄 3 丁目 9-22 グランドビル 8F
http://saunalab.jp/nagoya/

田辺温熱保養所 (p.106) 要予約
〒503-0811 岐阜県大垣市波須 1-515-1
https://r.goope.jp/dlwnsghek1985

サウナしきじ (p.140)
〒422-8036 静岡県静岡市駿河区敷地 2-25-1

近畿

飛雪の滝キャンプ場 (p.74) 要予約
〒519-5718 三重県南牟婁郡紀宝町浅里 1409-1
https://hisetsu.jp/main/

ume,sauna（ume,yamazoe） (p.86) 要予約
〒630-2356 奈良県山辺郡山添村片平 452
https://www.ume-yamazoe.com/

HOTTERS24 西宮上ヶ原店 (p.17)
〒662-0883 兵庫県西宮市上ケ原九番町 2-102

八瀬かまぶろ温泉 ふるさと (p.102)
〒601-1253 京都府京都市左京区八瀬近衛町 239

建仁寺 (p.102) ※浴室の一般公開はしていません
〒605-0811 京都市東山区大和大路通四条下る小松町

なにわ健康ランド湯～トピア (p.116)
〒577-0056 大阪府東大阪市長堂 3-4-21

中国

Nature Sauna (p.124) 要予約
〒689-2336 鳥取県東伯郡琴浦町野井倉 688-130 一向平キャンプ場内
https://tottori-camppark.jp/sauna.html

パブリックハウスアンドサウナ 久米屋 (p.121) 要予約
〒707-0204 岡山県美作市右手 156-1

九州

サウナと天然温泉 湯らっくす (p.26)
〒860-0816 熊本市中央区本荘町 722
https://www.yulax.info/

御船山楽園ホテル らかんの湯 (p.50)
〒843-0022 佐賀県武雄市武雄町 武雄 4100
https://www.mifuneyama.co.jp/

サウナ＆カプセルホテル ウェルビー福岡店 (p.62) Ⓜ
〒812-0038 福岡市博多区祇園町 8-12 ロータリー大和ビル 2F
https://www.wellbe.co.jp/fukuoka/

サウナラボ福岡店 (p.62) 要予約
〒812-0038 福岡市博多区祇園町 8-12 ロータリー大和ビル 1F
http://saunalab.jp/fukuoka/

序章
いま、サウナにのめり込む日本人

アウトドア・サウナ　大自然や友人と身ひとつでのんびり過ごす時間も、サウナ体験の一部

この本に手が伸びた皆さんは、すでにどっぷりサウナのある生活を謳歌している愛好家や、施設の運営など温浴業界に関わる方々が多いでしょうか。いっぽうで、〈サウナ〉や〈ととのう〉という語を近ごろよく目や耳にするようになり、そこに一体どんな世界が広がっているのかが気になり始めたタイミングの方もいるでしょう。はたまた、サウナを利用したことすらないけれど、昨今なかなかの経済効果が囁かれるサウナ・ビジネスに参入するべく、その実態を下調べしたい、という思いで本書を手にとった方もいるかもしれません。

２０２１年の日本で、日々どういうわけか存在感を強めている、サウナという名の〈巨大コロニー〉。サウナという言葉自体は、さすがにもう誰でも知っていると思います。けれどその実態となると、あなたがすでにその内側にいるのか、外から内側を覗こうとしているのかによって、阿波おどりの「踊る阿呆」と「見る阿呆」のように温度差やビジョンの違いが際立つ、少しクセの強い世界であることは否めません。

とくにこれから踊る阿呆側に参画したいと思っている皆さん。まずはこの序章を読んで、いまこの巨大コロニーのなかでどんな現象が起きていて、既存の施設運営者と愛好家が何に価値を置き、どんな営みに夢中になっているのかを、ぜひお見知り置きください。もちろん百聞は一見にしかず、まずは書を捨てサウナに入ってほしいというのが一番の本音なのですが！

序章ではまず、現代の日本サウナを特徴付けるさまざまな現象を、筆者の在住国フィンランドのサウナ文化と比較しながら概説します。そして後半で、日本サウナの真の面白さを解析してゆくための四つのキーワードを、提唱したいと思います。

1　サウナに夢中になる現代人、どんどん増加中

●データで見る、サウナ人口の増加と人気の高まり

サウナが盛り上がっているという肌感覚をもつ人は少なくないと思いますが、本当にサウナ人口は増えているのでしょうか。サウナにもさまざまな業態があり、利用者数の増減データを割り出すのは困難です。ですが、サウナ愛好家にはおなじみの日本最大のサウナ施設検索サイト、**サウナイキタイ**の利用者数や登録店舗数の推移をひとつの目安にしてみましょう。

まず登録ユーザー数が2021年9月28日時点で8万1580人、非登録者を含めた月間利用者数は79万3030人。リリース当初の2017年末は、それぞれ672人／1万4921人で、利用者数は年々指数関数的に増えています。登録施設数も、リリース当初が約4000軒だったのに対し、現在は9500軒を突破しました。

また、アプリのメインコンテンツは、登録者たちが訪問施設の感想を投稿して閲覧し合う「サ活」。この累計投稿数が2021年9月末時点で、137万9236件を計上しています。ちなみに、サ活書き込み数の歴代最多施設は、埼玉県草加市にある老舗健康ランド、**湯乃泉 草加健康センター**。同年3月時点で、2万2千人を超える投稿があったそうですよ。

これらの数値を大きいと読むかどうかは見方次第でしょうし、検索サイトを利用せずにサ活を楽しんでいる人も大勢います。ただ少なくとも2017年以降わずか4年の間に、デジタルコンテンツを活用しながらサウナ通いを楽しむ人口がわかりやすく増え続けているのは、れっきとした事実です。

いっぽう、2010年代後半から（とりわけサウナ番組の放送開始が相次いだ2019年を境に）、テレビや新聞雑誌、インターネット番組などで、サウナのメディア露出度が急増したのも自明です。タイトル（※副題含む）に「サウナ」あるいは“sauna”が入る書籍類（※電子版

サウナイベント　コロナ禍以前は、屋外サウナイベントが開催されるたびに参加希望者が殺到していた

のみの作品や特集を組んだ雑誌は含まない）を検索すると、２０２１年9月時点で39冊がヒットします。実はその過半数が２０１９年以降に出版されており、同期間に出された「風呂」という語を含む本の総数を上回っているのです。

サウナの人気や認知度が急増したのは、やはりメディアの力が大きいといえます。なかでもその先駆作品として絶対視されているのが、２０１１年以降、コミックエッセイ、マンガ、ドラマと多様なコンテンツで発表されてきた、マンガ家**タナカカツキ**さんの名作『サ道』です。

●サウナブームの起爆剤になった『サ道』シリーズ

タナカは、『バカドリル』シリーズや『オッス！トン子ちゃん』（ともに扶桑社とポプラ社）、カプセルトイの「コップのフチ子」シリーズなど、多彩な作品の生みの親として知られます。ですがサウナ愛好家の間では、なんといっても『サ道』シリーズの原作者として、いやむしろ、日本サウナブームの礎を築いたサ道という学道の〈開祖〉として慕われます。

『サ道』の原点は、２０１１年にタナカ自身の〈前代未聞のサウナ体験記〉（帯の説明より）として発表されたコミックエッセイ版（パルコ出版）でした。長年サウナの良さがわからなかったタナカが、常連客の作法を真似てゆくうち、空前の快感を知って（当時はまだ〈ととのう〉という言葉ではなく、「スーパー穏やか〜!!」などといった表現でした）、深みにはまっていく日々の記録や、その特殊な感覚体験についての独自の考察が描かれています。

同名の作品がさらに注目を集めるようになったのは、２０１６年に『マンガ サ道』（講談社）の連載が始まってからでした。マンガ版では、サウナ室でのさまざまな人間模様、人物ごとの楽しみ方やサウナに通う意味が、リアリティをもって描かれています。「サウナ→水風呂→外気浴」という入浴メソッドも、「ととのった〜」というおなじみのフレーズも、『マンガ サ道』で確立されました。単行本第1巻は、知人をサウナ道に引き入れたいならまず手渡すべし、とい

『マンガ　サ道』「サウナはおじさんのもの」というイメージを完全に一新したサウナ界のバイブル　刊行：講談社

われるほどのサウナ界の必読書です。

さらに2019年7月、プライベートでもサウナをこよなく愛するお笑いトリオ・ネプチューンの**原田泰造**さん主演で、ドラマ版「サ道」（テレビ東京）が放映を開始。これを機に、まるでブームの種火に灯油が注がれたかのような怒涛の勢いでサウナ人気が可視化されたと、多くの温浴業界関係者が証言します。また、作品を通じて存在が知れ渡った、全国各地の魅力的なサウナ施設へはるばる出かける「サ旅」という巡礼の旅も、愛好家の間で定着しました。

●デジタル社会でこそ真価を発揮するサウナ

サウナ初体験のきっかけは人それぞれですが、一度その得も言えぬ心地良さを我が身で知ってしまったあとは、違うサウナ施設も体験してみたくなり、サウナ施設検索サイトに会員登録して……と、およそ誰もが同じ順路をたどり、めくるめくサウナ浴の深淵へと没入してゆきます。ではそもそも、多くの日本人が「サウナっていいかも！」と実感する理由、つまりサウナ浴の求心力とは何なのでしょう。

サウナが心身に及ぼす好影響については、医学的見地からマインドフルネスの観点まで、すでに日本語で多くの先行書が出ているので、興味のある方はぜひそれらをお読みください。ここでは、筆者がこれまで多くの愛好家にヒアリングし続けて得られた回答から、いま（日本に限らず世界各国で）サウナがもてはやされる理由の最有力候補をひとつだけ挙げます。それはサウナが、わたしたちの日常生活においてあまりに稀有になってしまった、〈デジタルデトックスの場〉だということです。

サウナにいる間は、どんな多忙なビジネスマンでも否応なしに、スマホやパソコンから離れます。デジタルデバイスから一瞬でも離れると不安になるほど、ネット世界に依存しきった人も少なくないでしょう。サウナ浴はいわば、ストレスフルなデジタル社会で酷使している脳や

ドラマ版「サ道」　登場人物が実在するサウナを巡り、各施設の特色や沿革を浮き彫りにする　©「サ道」製作委員会

心身を、まったく対極の世界へ一時退避させる時間です。感覚が研ぎ澄まされ増幅する快感や、心身が穏やかだからこそ気づける良い水や空気のありがたみ。スマホが片手にあるうちは決して味わえない、尊い感覚体験のパッケージこそがサウナの醍醐味です。経営者やクリエイティブな業種の著名人がこぞってサウナ通いを推奨するのも、思考力や創造性を司る脳と身体に、良質なリラックス時間や刺激を与える重要性を認識しているからではないでしょうか。

風呂とサウナの心地良さや効能は別物ですか？　ともよく尋ねられますが、やはり似て非なるものでしょうか。サウナは、室温は熱いとはいえ水圧の抵抗を感じずに頭部から爪先まであたためて発汗できるのと、定期的に冷水浴や休息時間を挟んで浴室に戻るので、より長い時間入浴を楽しめる特性があります。また、風呂以上に温冷交代の刺激が強いので、リラックス効果とともに適度な疲労感を得て、そのままストンと眠りやすい実感があります。

もちろん身体がどう反応するかは人それぞれですし、慣れ親しんだお風呂で十分という人もいるでしょう。ただ、シンプルにサウナも気持ちいいな、スマホから強制的に離れる時間もたまには悪くないと感じて回を重ねるうちに、そういえば最近肌ツヤが良い、よく眠れるようになった、ストレスが軽減した……など心身のポジティブな変化に気づく人が多いのも事実です。未体験の方も、ものは試しで一度チャレンジしてはいかがでしょうか？

2　フィンランド・サウナと日本サウナの共通点と相違点

●サウナ室のタイプ、つくり、作法の比較

前著『公衆サウナの国フィンランド』で詳しく比較しましたが、本場フィンランドのサウナと日本のサウナは、結構違いが目立ちます。まず、フィンランドではサウナが文字どおりどこにでもあります。自宅のシャワー室の奥には日本のお風呂場のように個室サウナがあり（集合

デジタルデトックス　サウナ浴はモバイル機器から完全に離れて心身を休められる希少な時間

住宅だと棟内の共同サウナを交代制で使う場合も）、ホテルやジム、市民プールにも大浴場ならぬ大サウナ室がほぼ必ず併設されます。大学やオフィスにも、イベント時に使うサウナ室付きパーティルームがありますし、まちに出れば、日本の銭湯にあたる公衆サウナや貸切りサウナ施設が多く存在します。そして、日本人にとっての温泉や露天風呂に匹敵するのが、森や湖畔で自然回帰しながらのんびり楽しむコテージサウナです。

　あるときはひとり静かに瞑想モードに入り、あるときは気の置けない友達と（ときにはビール片手に）おしゃべりに興じ、あるときは大自然のなかにすっぽり溶け込んでしまう。フィンランド人の多様なサウナの利用法はまさに、成熟したサウナ文化の証だといえます。

　いっぽう、多くの日本人にとってサウナは、入浴料を払って利用する営業施設のことだと思います。風呂文化がこれだけ根づいた国ですから、それに加えてフィンランド人のように自宅サウナを構える日本人は、愛好家のなかでもまだまだ少数派です。

　ただ前著を出してからこのわずか数年で、日本のサウナの所在や利用形態は確実に多様化しました。**ドーミーイン**のようにサウナや水風呂、外気浴スペースを大浴場に設けるビジネスホテルチェーンが店舗数を伸ばしていますし、長野県上水内郡信濃町の森に佇む**The Sauna**（１２２ページ参照）や、埼玉県入間郡越生町のリゾート施設内の**オーパークおごせ**のように、貸切り可能なサウナ小屋やサウナ付きキャビンも各地に増えつつあります。

　コロナ禍に後押しされて台頭してきたのが、個室型のいわゆる「ソロサウナ」業界です。いずれも２０２０年にオープンした、東京神楽坂にある完全予約制の**ソロサウナtune**や兵庫県西宮市の24時間営業の月額制プライベートサウナ**HOTTERS24**は、時代を反映した個室サウナの先駆けとして、開業時から注目を集めました。また、サウナ付きのラブホテル部屋をひとりで予約して楽しむ人までいるといいます。さらに近年は、テントサウナ®をはじめとするモバイルサウナ（持ち運びが可能な、組み立て式あるいは牽引式のミニマムサウナ）の人気が急上昇中

フィンランドのサウナ小屋　日本の風呂のようにサウナが生活習慣の一部であるフィンランドでは、至るところにサウナが見つかる

です。自宅の庭やベランダに常設してマイ・サウナとして利用したり、キャンプサイトへ持ち込んで自然のなかで自由に楽しむテントサウナ所有者の数は、この数年右肩上がりです。

サウナ室内のつくりや作法も、日本は独自進化を遂げています。フィンランド・サウナのアイデンティティは、ストーブ上の焼け石に入浴者自身が水を打って蒸気を発生させる「ロウリュ（löyly）」であると、前著でも説明しました。天井部まで吹き上がった高温の蒸気は、時間とともにゆるやかに空間全体へと充溢してゆきます。この流動する豊潤な「熱々の蒸気」を全身で浴びる入浴法のことを、本国ではサウナと呼ぶのです。

いっぽう、日本では〈サウナ＝熱々の空間〉という拡大解釈を許し、さまざまな熱源のサウナが生み出されてきました。よく知られたスチームサウナやミストサウナのほかにも、ヒーターによる照射で体に直接熱を届ける遠赤外線サウナ、ベンチ下にヒーターが格納されているボナサウナといった乾式のサウナが、日本の施設では長らく主流となっています。

ところが、最近は本場のロウリュ式サウナへの憧れが高まり、勢力図も変わりつつあるようです。近年は、より呼吸がしやすく女性にも喜ばれる、高湿のサウナを目指す傾向が強まっており、ストーブの上部に取り付けられたノズルから定期的に水が自動噴射される「オートロウリュ」や、フィンランド人と同じく入浴者自身が焼け石に水を打つ「セルフロウリュ」も普及してきました。この日本ならではの造語たちは、ロウリュ＝セルフで行なうものと信じ込んでいるフィンランド人にもれなくカルチャーショックを与えます（笑）。さらに、スタッフが定時にロウリュサービスをしに来たり、熱波あるいはアウフグースと呼ばれる、蒸気の撹拌効果を狙ったパフォーマンスにも、日本独自のスタイルが生み出されています。

テントサウナ　組み立て自由なテントサウナや牽引可能なモバイルサウナは音楽フェスなどでも活躍　提供：Sauna Camp.

次に、公衆浴場（施設サウナ）というカテゴリー内でフィンランドと日本のサウナの雰囲気を比較します。日本人としてのフィンランド・サウナに対する印象は、「にぎやか」の一言に尽きます。連れがいればもちろんのこと、知らない者同士で居合わせても、「ロウリュしてもいい？」の一言からスモールトークが始まり、そのまま外気浴中も和やかな会話が続くのが自然な光景です。明らかにほかの客に会話の内容が丸聞こえなのに、お構いなしにシリアスな身の上話を延々話す人にもよく遭遇します。

公衆サウナのムードは、その意味で日本の古き良き銭湯に似ています。コロナ禍を経て、確かに会話量は多少落ち着きましたが、施設側も「サウナでしゃべるな」とは決して言いません。それだけ、公衆サウナとはそういう場だという認識が強く、かつ、さじ加減は利用客同士のモラルと許容範囲に一任しているということなのでしょう。

いっぽう日本人にとってサウナ室内でのひとときは、まさに〈ととのう〉ための導入時間です。周囲に他者がいようがいまいが、直後に待つ水風呂の心地良さをイメージしながら、まずはしっかりと汗をかき、身体を芯まであたためることに個々人が集中します。

よく、なぜ日本のサウナにはテレビがあるのかとフィンランド人に訊かれます。野球や相撲のファンが入浴中も試合を観戦したがったのが発端とも聞きますが、実際のところ、サウナ室で熱さに耐える間に、少しでも孤独を紛らわせたいと考える人が少なくないのでしょう。砂時計や12分計と呼ばれる短時間の計測器が設置されているのも、日本のサウナならではです。

もっとも、最近はより静かな環境でおのおの心身と向き合いたいと考える瞑想型のサウナ愛好家も多いがゆえ、テレビ設置反対論も聞かれるようになりました。古参の常連客が多いサウナ施設ですぐにテレビが消えることはないでしょうが、少なくとも新施設ではテレビを設置せず、照度も落とし気味でマインドフルネスに集中できるサウナ室が増えつつあります。

このように、もともと日本のサウナ室ではフィンランド人のように「自由におしゃべりす

オートロウリュ　定期的に自動で蒸気が出るストーブは日本サウナ名物

る」土壌がなかったわけですが、その風潮に一層拍車をかけたのが新型コロナウイルス感染症のパンデミックでした。いまやどこの施設でも〈黙浴〉という標語が掲げられ、室内でうっかりおしゃべりしてしまうとすぐさま冷たい視線を浴び、店舗にクレームが入るようになってしまいました。この風潮は、サウナ愛好家たちの「大好きなサウナ施設でクラスターを出すまい」という連帯意識の現れとして評価できるいっぽう、身も心もゆるんだモードで、誰かとちょっと話したくても話せないヒリヒリした緊張感を生んでいて、どこか寂しくもあります。

●日本人は水風呂重視、フィンランド人は外気浴重視

いま日本のサウナ愛好家が一様に実践しているのが、「サウナ→水風呂→外気浴」というサイクルを1セットとするメソッドです。滞在時間や体調に応じて、このサイクルをおよそ2～4セット繰り返すのが一般的。3点の順序を律儀に守り、それぞれの目的や効果を意識したサウナ浴法を実践するのは日本人ならではといえます。

もちろんフィンランドでも、湖畔サウナであれば発汗後にすぐさま湖へ飛び込むのが通例です。とはいえ、水際にないサウナでわざわざ冷水に潜るための浴槽を備えた施設はほとんどありません。むしろフィンランド人が重視するのは、サウナ浴の合間に、自然の風物や空気の流れを感じながらゆっくりクールダウンする「外気浴」の時間です。例えばお隣ロシアの公衆サウナ（バーニャ）では、入浴客は屋内の休憩所でお茶などを飲みながら休息時間を過ごします。ですがフィンランドでは、人やトラムの行き交う都会の公衆サウナですら、店頭の路上で入浴客がバスタオルを巻いてくつろぐ光景が当たり前に見られます。

他方日本では、サウナ浴と外気浴の合間に20度前後かそれ以下の冷たい「水風呂」に浸かって皮膚や血管を瞬間的に引き締め、体内に熱を閉じこめるというプロセスが非常に重要視されます。このため日本の施設には、サウナ室のそばに必ず水風呂が設置されているのです（ただ、

サウナ室内のテレビ　日本のサウナでテレビが見られることは、外国人の間でもよく話題に上がる

歴史をたどると水風呂の原点を日本に持ち込んだのは結局フィンランド人だった……という奇妙な事実も。その真相は二章の歴史パートにて）。

●〈ととのう〉は日本語にしかない、心地良さの呼び名

日本人流サウナ浴のハイライトは、サウナ↓水風呂のいわゆる温冷交代浴を経てからの「外気浴」（ただし必ずしも屋外というわけではない）のさなかに、じんわりと肉体と精神を包みこむ快感です。今日の愛好家たちは、言葉にし難いその快感の到来を、かの〈ととのう〉という動詞で「シェア」しているのです。この言葉を流布したのは『マンガ　サ道』だと先述しましたが、はじめてサウナ浴で〈ととのう〉という表現を用い始めたのは、**濡れ頭巾ちゃん**というハンドルネームの、業界では誰もがよく知る元祖サウナ愛好ブロガーです。

では実際ととのった状態とはどんなものかと訊かれると、説明はなかなか困難です。例えばタナカのマンガでは、〈ととのった〉主人公らは、エクスタシーを迎えたかのような恍惚とした表情を浮かべ、周りに万華鏡のような模様が飛び散ります。ドラマ版「サ道」でも、登場人物らがととのう瞬間にはそのサイケデリックな色模様が映像化されています。もちろん現実の外気浴を行なうベンチの上で、あからさまにトランス状態に陥っている人はいません。けれど、サウナと水風呂という究極の温度変化を経たあとの休息中には、ある種の〈トリップ感〉が生じるのを多くの人が体験しています。人によってはその感覚を〈浮遊感〉あるいは〈キマる〉と表現しますし、仏教用語の〈悟り〉に重ねて説明する人もいます。

これまで日本人に、「フィンランド語にも〈ととのう〉に当たる言葉はあるのですか？」と何十回と訊かれました。「残念ながらフィンランド語にその呼び名はないけれど、感じている気持ちよさはきっと同じだと思いますよ」と答えるのが精一杯です。現地の人に尋ねてみれば、人それぞれにその快感を形容しようとはしてくれます。けれどサウナの心地良さを表現するワード

水風呂に浸かる客たち　サウナで発汗したあとは、十分に冷却された水風呂に身を沈めるのが日本流

に「共通語」をもっている民族は、世界でも日本人くらいでしょう（笑）。

ただ実際のところ〈ととのう／ととのった〜〉は、もはや日本のサウナブームを象徴するキャッチフレーズに過ぎないのではないでしょうか。繰り返しになりますが、〈ととのう〉という共通語によって、わたしたちはサウナのなんともいえない心地良さや多幸感を「シェア」や「伝達」することが可能になりました。個々人の感覚や体験ベースのサウナ浴がここまで巨大なブームに化けた理由のひとつは、この「心地良さの言語化」でしょう。かつてキリスト世界に聖書が誕生したときと同じくらい、大きなターニングポイントであったといえるはずです。

3　現代の日本サウナは、この四つの視点から読み解くと面白い！

ここまでの解説で、いまの日本サウナの実態や特異性がおよそ見通せるようになったのではと思います。本章の結びに、「日本のサウナはいかにクリエイティブか」をこれから検証してゆくための道標となる、四つのキーワードを示します。

【こだわり】…施設のつくり手たちによる、十人十色のアイデアや実践
【歴史】…先人たちが地道に築いてきた、日本の蒸気浴文化の礎
【産業化】…サウナはいまや、社会と経済を元気にする一大商業活動
【プロ愛好家】…高度な専門スキルを活かして、サウナの裾野を広げる人びと

一章では、自然風土の活用、空間アイデア、顧客サービスなどさまざまな面でオーナーたちが**【こだわり】**を発揮し、ひときわ独自性を放っているサウナ施設を6軒紹介します。

やはり日本サウナをここまで面白くバラエティ豊かにしているのは、一つひとつの施設が細

ととのった〜　サウナと水風呂を経たあとの外気浴は、自然と子どもから大人まで気持ちよさそうな顔を浮かべる

部まで発揮している独創的なこだわりや、背景にあるユニークな企業哲学にほかなりません。時代を反映しつつも時流には流されない六つのサウナの物語から、愛されるサウナづくりに必要なビジョンと信念を感じ取ってください！

二章前半では、日本サウナの知られざる**【歴史】**を紐解きます（本章内に限りサウナを蒸気浴と呼び替えます）。サウナブームは最近の現象だと感じている人も多いでしょうが、実はいまから約半世紀前にも、現代の経営者や愛好家と同じくらい熱意をもってサウナの価値を広めようとしていた人びとの活躍が、認められます。

またそもそも蒸気浴という入浴法自体は決して異国由来の新参者ではなく、古代や江戸時代にも、日本各地で実践されていました。こうした「繰り返す歴史」といま改めて向き合うことで、我が国らしい蒸気浴文化の在り方や未来を見据えるきっかけが得られるのではと、筆者は考えています。

二章後半では、昨今急速に**【産業化】**が進むサウナ業界の一面に注目します。産業化は、人と社会そして経済を健全に活性化してくれるという意味で、ブームの一歩先を目指す上での重要なプロセスです。とくに現代を象徴するトピックとして、①女性市場の開拓 ②アウトドア産業への参入 ③ツーリズムや地域創生との共助 ④物販事業の促進、という観点から、サウナが秘める多様な可能性を探ってゆきましょう。いずれのテーマでも、現在その分野の中心で先駆的活動や動向分析を行なうエキスパートたちのインタビューをもとに、リアルな現状を解説しつつ、今後に向けた課題も提起します。

そして三章では、6名の**【プロ愛好家】**たちのユニークな活動とその流儀にクローズアップします。プロ愛好家というのは完全な造語ですが、温浴施設の経営に直接携わらない「いちサウナ愛好家」でありながら、サウナ業界の繁栄や進歩のために、本職の専門スキルを還元したいという純粋な意欲をもって、前衛的な活動する人たちを指します。

全国サウナ物産展　百貨店などで定期開催される施設ロゴグッズのポップアップ販売は、毎度凄まじい売上を叩き出す

現代の日本サウナの盛り上がりは、温浴業界の関係者の頑張りはもちろんですが、豊かな才能や行動力をもったプロ愛好家たちの貢献なしには語れません。六者六様のサウナ愛に溢れるライフストーリーや仕事哲学から、サウナ業界をさらに深く楽しむきっかけを見出していただければと思います。

一章
日本のクリエイティブなサウナたち

山際に佇む[ume,sauna](p.86)のログ造りサウナ

1 いまあるものを地道に磨く地元密着型

File_1

郷土の清水から名物娯楽を生み出した老舗スーパー銭湯
サウナと天然温泉 湯らっくす（熊本県熊本市）

熊本県東部の阿蘇山岳一帯は、日本有数の清らかな地下水がこんこんと湧き、貴重な水源がいくつもあります。阿蘇郡南阿蘇村の白川水源は、太古の昔から常時14度の美しい水が毎分60トンも湧き続ける、日本名水百選のひとつ。

熊本を治めた戦国武将の加藤清正は、この白川水源の湧き水を現在の熊本市街へと仕向ける大がかりな治水工事を手掛けました。そのおかげで、熊本市民はいまもこの水源由来の清水を、水道水として贅沢に利用しているのです。人口50万人以上の政令指定都市において、地下水のみで市民の生活用水をまかなっているのは、熊本市が世界で唯一だそう。

その類まれな名水のまちに、近隣住民だけでなく全国から利用客を呼び寄せて注目を集める、驚異的な温浴施設があります。1993年創業のスーパー銭湯、**サウナと天然温泉 湯らっくす**。スーパー銭湯とは文字どおり、伝統的な公衆浴場「銭湯」に"super"を被せてランクアップを強調した新語です。提唱者は不明ですが、1980年代半ばから該当する業態の施設が国内各地に登場し、呼び名が一般化したのは1990年代だといわれています。

●公衆浴場にも、娯楽色や良質な副次サービスが求められる時代

そもそも日本には公衆浴場法という法律があり、あらゆる入浴施設は「一般公衆浴場」と「その他の公衆浴場」という二つのカテゴリーに区分されます。一般公衆浴場に分類されるのは、各都道府県に設けられた公衆浴場組合に加盟する施設。公的サポートが受けられる反面、県ごとに定められた細かい規律と入浴料の価格統制に従わなければいけません。一般的には、この

白川水源　名将加藤清正の治水工事のおかげで、熊本市民はこの清らかな湧き水を日々利用している

組合下で住民の公衆衛生保持を目的として運営される入浴施設を「銭湯」と呼んでいます。

いっぽうその他の公衆浴場にカテゴライズされるのは、組合に加盟せず、独自に入浴料を設定している入浴施設全般です。高額の入浴料で充実したサービスを提供するスパ施設、温泉旅館やホテルの大浴場などがこちらに含まれます。平成期に普及したスーパー銭湯も同じくこちら。設備が銭湯よりも大規模かつ多様で、浴場以外にも食堂や仮眠室を備えた、複合サービスが売りの入浴施設と捉えてよいでしょう。

なお、スーパー銭湯が流行りを見せる以前から、一見非常によく似た形態の「健康ランド」と呼ばれる入浴施設も存在していました。なにせそれぞれに明確な定義はないので、両者を見分けるのは正直困難です。しいていえば、健康ランドは１９８０年代以前から営業しているレトロな老舗施設が多く、娯楽要素も強くて（例えばカラオケ大会やイベント用の多目的ステージをよく見かけます）、現代ではとりわけ高齢者の福利厚生と社交の場として機能しているようです。

●敢えて物珍しい外来文化の求心力で、ローカル客を振り向かせる

いまや全国屈指の知名度を誇る湯らっくすは、熊本市の中心街からそう遠くない住宅エリアに位置しています。幹線道路沿

[湯らっくす]外観　1993年創業の湯らっくすは、2016年熊本地震の被害を機に大改修を行ない現在の姿に

いに敷地面積1200㎡を誇る2階建ての巨大施設を構え、駐車場も広く確保。元来、近隣の家族連れやドライブ客がメインターゲットであることがうかがえます。

にもかかわらず、この数年は遠方客の客足が伸び続け、2021年春の統計ではなんと、週末の利用客の半分が熊本県外からの来訪者。さらにその半分がサウナへの感度が高い東京都民だというのです。利用客の世代も、一般のスーパー銭湯と比べるとかなり若者が多い印象を受けます。

そしてその信じがたいデータに大きく寄与しているのが、2016年の大改修を機に力点を置くようになった「サウナ事業」だといいます。湯らっくすの浴場には、改修以前から広々としたテレビ付き高温サウナ室がありました。ところが、改修の段階で浴槽面積をさらに削ってサウナ室や水風呂を拡張する決断がなされ、それがのちの大きな分岐点となったのです。

現オーナーの**西生吉孝**さんは、温泉文化が根強い熊本に根を張るスーパー銭湯でありながら、敢えて外来文化のサウナに力を入れた理由が、(自分が無類のサウナ好きだという最大の理由はさておき)大きく二つあると話します。

ひとつは、周囲にいくらでも素晴らしい温泉があるこのまちでは、従来のスーパー銭湯のように入湯設備がメインでは求心力に欠けるということ。興味深いことに、日本において人口比でもっとも寿司屋の多い県は、漁獲量の多い海岸沿いの県では

(右上)洗体場　ソープ類だけでなく泥パックなどボディケアのアイテムも完備している
(右下)[湯らっくす]代表の西生吉孝　玄関口の訪問記念フォトスポットMAD MAX ボタンの横で
(左)浴場の湯船　浴槽の湯は地下1000メートルより湧出する天然温泉

浴場中央の名物水風呂　白川水源の清水に頭まで潜れるだけでなく飲水スポットも設けられた、通称「深さ日本一の水風呂」

なく、実はまったく海に面していない山梨県なのだといいます。つまり地元の人たちは、ありふれた郷土名物よりも得てして「ないものねだり」をするものなのです。だからこそ西生は、温泉という最高ランクの入浴環境が身近にある熊本市民に振り向いてもらうには、むしろお湯以外のエッセンスに重きを置くべきなのでは、と思い至ったのでした。

●自慢の名水や郷土性を、エンタメ要素で斬新かつ鮮烈にアピール

もうひとつは、先述した白川水源由来の自慢の名水の真価を一番贅沢に体感できるのが、風呂よりもサウナなのではないかという発想の転換です。

もちろんサウナ室内に限っていえば、ロウリュの打ち水にしか名水を使えません。ところがすでに説明したように、現代の日本人がサウナ浴において何より重視するのは、実は水風呂体験の充実度。都会の施設では、水道水をチラーという装置で人工的に冷却し、必要ならカルキ消毒も施して水風呂に張ります。

ところが白川水源の水なら、水温・水質ともにナチュラルなままでも水風呂の用水に最適。飲んでも浴びても人を幸せにする南阿蘇の水に、全身でどっぷり浸かれる水風呂があれば、まさにここでしか叶わないローカル・サウナ体験が生み出せるのではないか……。そう考えた西生は、男性側171センチ、女性側153センチという異例の水深を誇る超巨大浴槽を、「飲める水風呂」と銘打って、浴場の中央に設置する荒業に出たのです。日本の多くの入浴施設では、浴槽の湯や水に潜ってはいけない、髪の毛を浸けてもいけないというのが暗黙のマナー。けれどこの水深では、もはや誰もその常識に従いようがありません。「既存のルールにとらわれず、全身で熊本の自慢の水を楽しんでくれたらいい」と、西生は笑います。

さらにこの日本一有名な水風呂のアイコンとなっているのが、水槽のそばの柱に取り付けられたミステリアスな「MADMAXボタン」。ほとんど足のつかない水風呂に浮遊しながら恐る恐る手を伸ばしてボタンを押すと、頭上からも自慢の天然水が滝のように降り注ぐという仰天の趣向です。これもまた「何ごともやるからには徹底的に！」の精神を貫く西生が自ら考案し、施工業者を呆れさせながらも実現した仕掛けだといいます。

もちろん、サウナ室内にもユニークな演出が満載です。創業当初からある広い高温サウナでは、ほぼ1時間おきに盛り上げ上手なスタッフがアウフグース（熱波）サービスでおもてなし。フィンランド式のセルフロウリュができる「メディテーションサウナ」では、空間設計に照明デザイナーやサウンドクリエイターを起用し、瞑想に集中できるよう照度や音環境が綿密にコントロールされています。

一見どこの施設にもある、スクラブ用の盛り塩が置かれた中

温スチームサウナも、ベンチの隅に意味深な積み石と柄杓が。試しにロウリュを行なうと、センサーが反応して突如あちこちの床やベンチから温泉の蒸気が噴出するという、阿蘇山の火山活動にかけた噴火アトラクションが仕込まれています。

個性豊かなサウナを行き来しながら汗腺を開いて巨大水風呂に肢体を沈め、熊本の大自然を全身で享受する。そして、中庭にずらりと並べられた外気浴用ベンチで興奮状態の心身を〈ととのえる〉。湯らっくすは、まさに遊びごころに満ちたサウナのテーマパークであり、まったく新しい形の体験型〈観光スポット〉でもあるのです。

(上)メディテーションサウナ　心地良い暗がりとサウンドのなかでセルフロウリュを楽しめる
(中)アウフグースセッション　通常は脱衣し個性豊かなスタッフたちに仰いでもらう
(下)噴火サウナ　怪しげな積み石に気づいたらぜひ水を掛けてみて

MAD MAX 発動　水風呂に浸かってボタンを押すと、さらに天井から怒涛の落水を浴びせられるという趣向

露天風呂＆外気浴スペース　外光の差し込む空間に並べられたベンチで〈ととのう〉客たち

(右上)パソコンデスク　まさに自分の家のように何でも揃う快適さ

(左上)マンガコーナー　マンガ喫茶さながらの冊数とラインナップ

(中)食堂ごはん　人気の「サウナ飯」は麻婆豆腐と手仕込みアジフライ定食

(下)休憩室　入浴の前後に休憩室をシェアオフィスのように利用する客も

こうした思い切った施設改革に踏み切るきっかけとなったのは、２０１６年に熊本県を直撃した大地震でした。このとき湯らっくすの建物も大きく崩壊し、大改修を免れなかったのです。けれど西生はその逆境を好機に変えようと、「老舗の風呂屋が新しい挑戦をするからには、誰もやらない先駆的なことを徹底的にやる」という企業姿勢を貫きました。

その改革の数々は、ひとえに地元の人たちに、新鮮ながら郷土愛も感じられる入浴体験を提供するために取り組んだものでした。ですが、そのチャレンジに対する評判はむしろ、ソーシャルメディアを通じて全国のサウナ愛好家たちに広まったのです。さらに『マンガ　サ道』とそのドラマ版で施設が印象的に取り上げられたことで、湯らっくすは全国の愛好家たちにとって「サ旅」の不動の人気スポットになったというわけです。

●空間の奇抜さだけでなく、ホスピタリティ精神も印象に刻まれる入浴施設を目指して

湯らっくすが支持を得ているのは、決してサウナと水風呂のユニークさだけが理由はないように思います。一般的なスーパー銭湯同様、湯らっくすもマッサージルーム、男女共用の食堂やリクライニングベッドの並ぶ仮眠室などを併設しています。そして、この副次サービス一つひとつにも細やかな配慮が行き届いているからこそ、お風呂上がりの時間もとにかく快適かつ多目的に過ごせるのです。

例えば食堂では、プロの調理師が地元の信頼できる食材を多用し、試作を重ねながら丁寧につくり込んだ自家製ごはんが提供されます。清掃の行き届いた休憩室には、マンガ喫茶と見まごうほどのコミックや雑誌、さらにパソコンやワーキングデスクがずらりと並びます。ひとつ風呂浴びてリフレッシュしたあと、まるでシェアオフィスのように、デスク仕事の続きをする勤勉ワーカーの姿も。仮眠室は男女で分かれているので安心して使えるし、館内の一角では地元の人向けにヨガスタジオも運営されています。

そして多様なサービスの場ごとに、常にインカムで連携を取りあうスタッフが配置されていて、気持ちのよい接客で困りごとや要望にもスマートに対応してくれるのです。

「人は人によって癒やされる」——これは、かつて大阪にあった伝説的なサウナ施設**ニュージャパンなんば**で掲げられていた、温浴業界では知らない人のいない有名なモットーです。そして西生も、温浴施設経営者としてもっとも大事にしている心得だといいます。

スーパー銭湯＝総合サービス産業である、という理念が徹底された湯らっくすの強みを要約すれば、ひとつはいうまでもなく「水」。もうひとつが、すべてのサービスにおいて不行届な隙をつくるまいという連帯意識で奉仕に徹する、オーナーを筆頭

としたスタッフの「ホスピタリティ」といってよいでしょう。近年は、施設の魅力とスタッフサービスの心地良さに感化され、遠方からも就職志願者が絶えないのだそうです。

「サウナ施設はいわゆる装置産業なので、語弊を恐れずいえば、資金さえ投資すればもっとすごいものがつくれるし、後から参入するほど、前例のない空間や設備を生み出して脚光を浴びることのできる世界です。けれど、目新しさだけで勝負するのではなく、現場ではたらく人の日々の創意工夫やホスピタリティの精神でお客さんを楽しませたり癒やしたりできる施設が、僕は好きなんです。まもなく創業30年を迎える湯らっくすも、その点においてもっと突き抜けてゆける施設を目指したいと思っています」

そう語る西生は、スタッフがマスク越しのコミュニケーションやムードづくりに戸惑いがちな時世だからこそ、いつも以上に自ら現場を見回り、熱のこもった指導と励ましを日々地道に続けています。

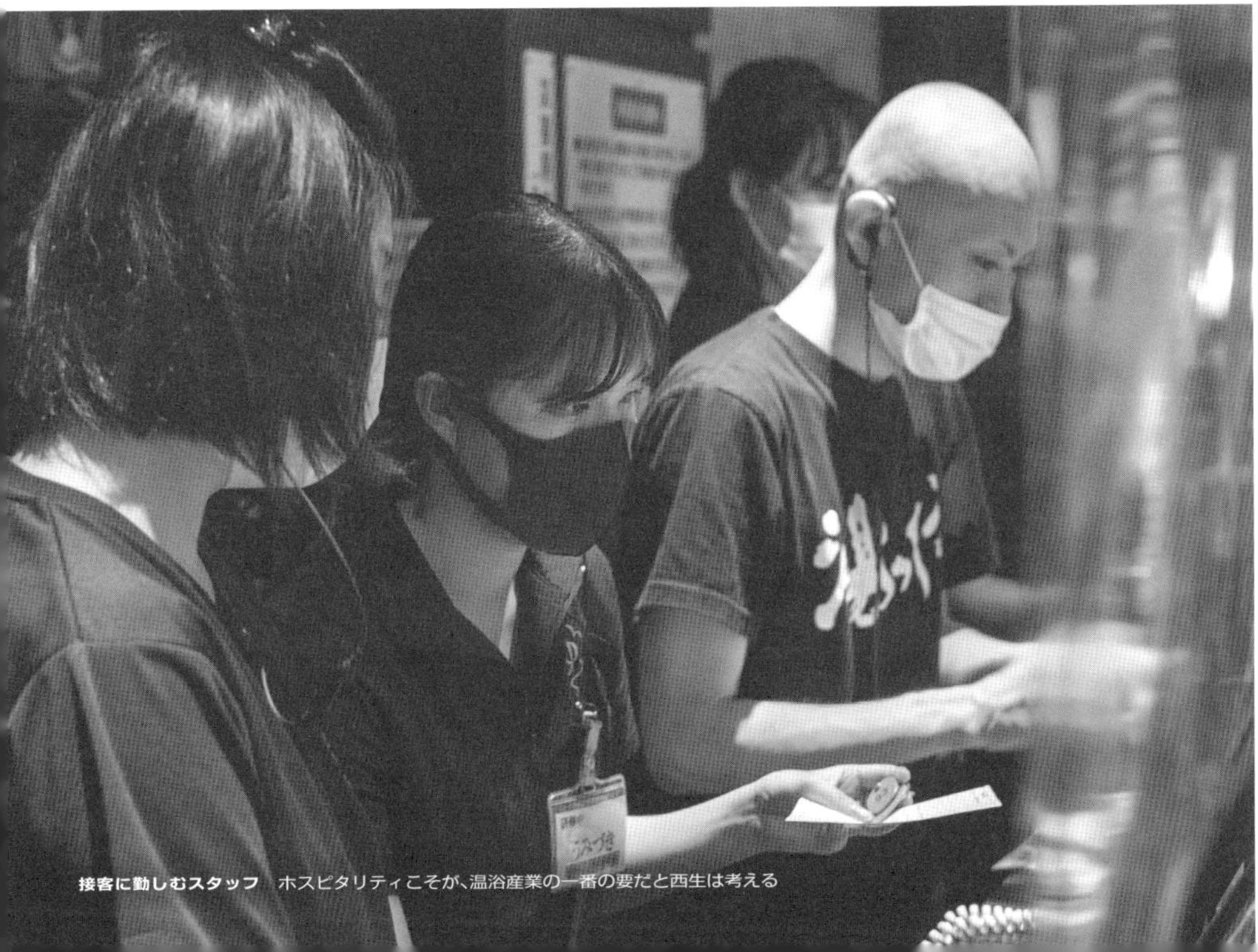

接客に勤しむスタッフ　ホスピタリティこそが、温浴産業の一番の要だと西生は考える

File_2

サウナと伝統銭湯のギブ・アンド・テイク

黄金湯（東京都墨田区）

前エピソードで触れたように、わたしたちが「銭湯」と呼んでいる入浴施設は、公衆浴場法では「一般公衆浴場」に区分されます。それは都道府県ごとの公衆浴場組合に加盟している入浴施設のことで、基本的にはスーパー銭湯同様に独立採算型ですが、運営や改修事業には行政からの手厚い補助が受けられます。その代わり、入浴料は県ごとに定められた価格統制に従わなければなりません。ちなみに、フィンランドの公衆サウナは安くても8ユーロ（千円強）。つまり日本の銭湯は世界的にも驚くほど安いといえます。２０２１年9月現在、もっとも安いのが佐賀県で２８０円。もっとも高いのが神奈川県で４９０円。全国平均は４４０円くらいでしょうか。

洗面器　銭湯といえばのレトロな黄色い洗面器

●日本の銭湯もフィンランドの公衆サウナも〈現存する意義〉が問われる時代

当然ながら、この価格で提供できるサービスは、そんなに豪華にはなりえません。施設差はありますが、中央の高い壁で仕切られた男女別の浴室に、数人が一度に入れる浴槽が何面かと、カランが並んだ洗体用の個別席がずらりと並んでいるだけというのが、浴場の基本構造。近隣住民が日常的に足を運び、コーヒー1杯程度の値段で身体を洗い湯に浸かって1日の疲れを癒やす……という、ごくシンプルな利用が想定されているのです。

いまでこそ、集合住宅も含めて風呂がない住宅はほとんどありませんが、以前は街角に点在する銭湯こそが、自宅に風呂を持たない人びとの共同浴場でした。ところが自家風呂が当たり前になった現代では、残念ながら銭湯は「なくても困らないもの」となってしまいました。例えば東京都内では、１９６８年に戦後の店舗数がピーク（２６８７軒）を迎えてからは年々減少傾向で、平成元年に2千軒を下回り、２０２０年にはわずか

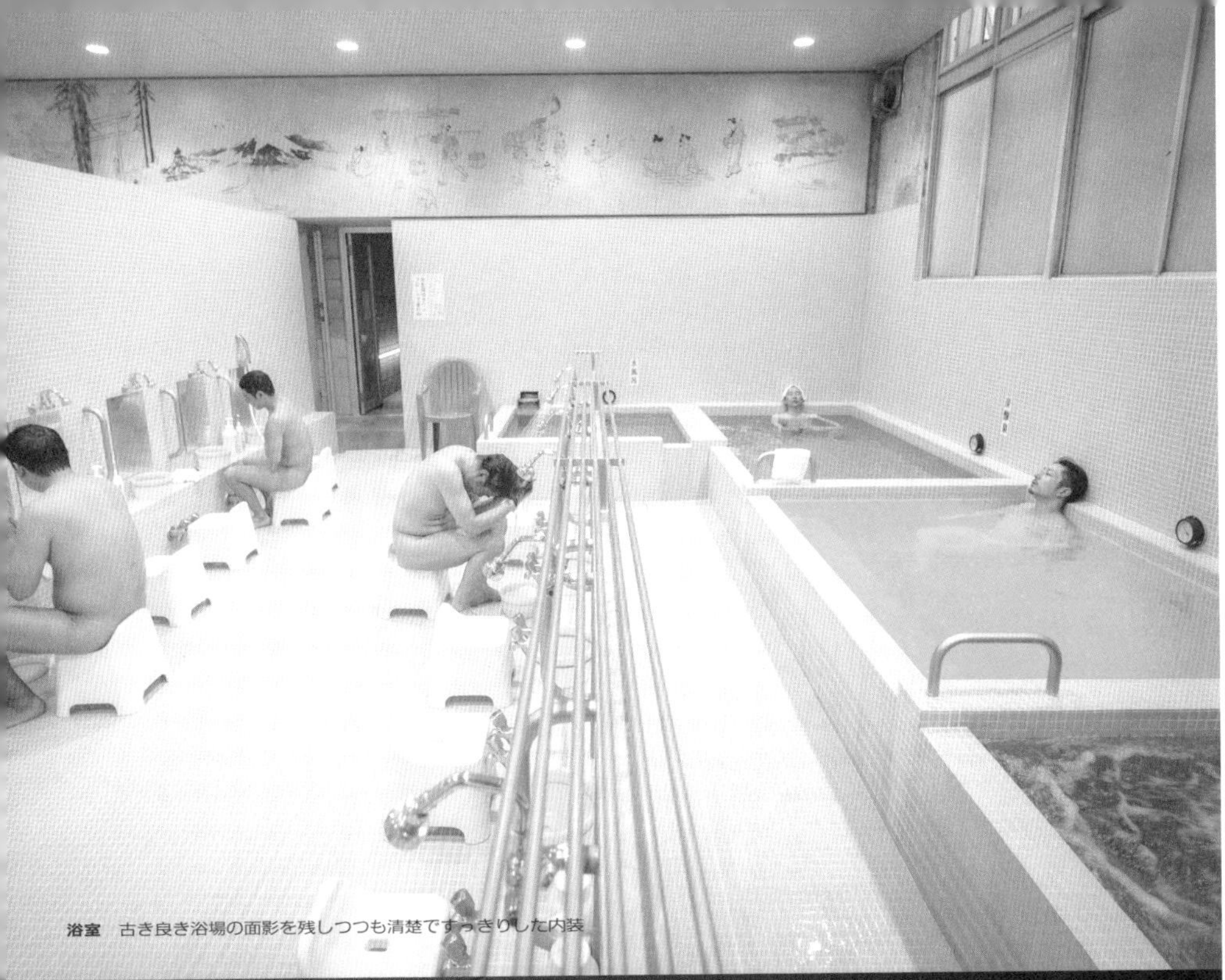

浴室　古き良き浴場の面影を残しつつも清楚ですっきりした内装

男性サウナ室　麦飯石製の壁は輻射熱の効率がよく高温を保てる

499軒にまで減少しました。

自家風呂の普及と引き換えに、たった半世紀内に公衆浴場が絶滅危惧に追いやられてゆく……という劇的な歴史は、まさに前著で解説した、フィンランド都市部の老舗公衆サウナがたどった歴史そのものでもあります。つまり日本の銭湯もフィンランドの公衆サウナも、未来に残し続けたいと願う限り、現代人が定期的に足を運びたいと思えるような新しいサービスや魅力、すなわち〈現存する意義〉を、真剣に追究しなければならない時代に差し掛かっているのです。

そして、先ゆきの不透明な銭湯の未来を「サウナ」に託したことによって、リニューアルオープン後わずか1年で、都内でもっとも認知度のある銭湯のひとつにまで生まれ変わったのが、墨田区錦糸町にある老舗銭湯、**黄金湯**です。

●アーティストや建築家の進取の気性で庶民的なビル型銭湯を大胆にリニューアル

東京スカイツリーがそびえ立つ墨田区は、観光客にとっては近代的なイメージがあるかもしれませんが、区の中心は浅草界隈から近く、相撲興行の総本山国技館も鎮座していて、伝統職人らが多く暮らす古き良き下町の風情もまだまだ残っています。幸いその界隈では、いまでも銭湯通いを日課にしている高齢の常連客が少なくありません。

黄金湯は、約90年前からいまの地で湯を沸かし続けてきた老舗銭湯でした。しかし2018年に前オーナーが跡継ぎ不足で経営を手放すことになり、そのタイミングで施設の引き継ぎを決意したのが、徒歩5分ほどのご近所で**大黒湯**という別の銭湯を営んでいる**新保卓也**さん・**朋子**さん夫妻でした。

大黒湯は、伝統的な東京銭湯を象徴する宮造りの建築で、贅沢な露天風呂もあり、テラスからスカイツリーも一望できるという、立地にも歴史遺産にも恵まれた王道の老舗銭湯です。いっぽう黄金湯は、集合住宅の下階に入るいわゆる「ビル型銭湯」で、常連客の憩いの場としては十分機能を果たすものの、若い世代の新しい客や遠方客、外国人観光客を呼び込むにはいまひとつアピール力にかける銭湯でした。そもそも、引き継いだ時点で配管設備などもずいぶん老朽化しており、基礎改修が不可避の状態だったのです。

新保夫妻は、まず1年間は引き継いだままの施設で客の反応や改善点を探り、2019年にいよいよ抜本的な大改装に踏み切ります。東京都は銭湯文化の継承へ理解が深く、改修にあたって下りた補助金はかなり潤沢でした。加えてクラウドファンディングによる追加資金調達にもチャレンジし、結果的にわずか数日で、千人以上の出資により民間からも650万円が集まったといいます。

実はこの改装やリブランディングにあたり、アディダスとの大々的なコラボでも話題になったアーティストの**高橋理子**さんが、全面的なアートディレクションを買って出ます。大黒湯の近所にスタジオを構える高橋は「伝統の革新」をテーマに掲げた作品制作に勤しむアーティストで、まさに今回のリニューアルにふさわしい感性と経験の持ち主でした。さらに空間設計は、ブルーボトルコーヒー各店舗に代表される、スタイリッシュな商業建築を得意とする建築家**長坂常**さんが手掛けることになりました。

改装の方針決定に際し、新保夫妻は当初ずいぶん悩んだといいます。常連客たちが愛着をもつ古き良き銭湯のイメージと、長坂や高橋の個性が出たモダンさを、どういうバランスで折衷すれば誰にとっても幸せな空間になるのか。彼らの大胆なデザイン案を受け入れつつも、懸念点は臆さずに伝えて話し合いを重ね、最終的には、フロントから更衣室、浴室まで、従来の銭湯のエッセンスや面影を保ちながらも果断に一新。入口のレトロな下駄箱だけは昔のまま、打ち放しのコンクリート壁に囲われた新しい空間にそっと残すことに決めました。

●湯船のおまけではなく、愛好家を唸らせる本格サウナを伝統銭湯へ

錚々たるクリエイターたちが手掛けたモダン銭湯というだけでも話題性は十分ですが、実はそれ以上にいま、黄金湯の名を

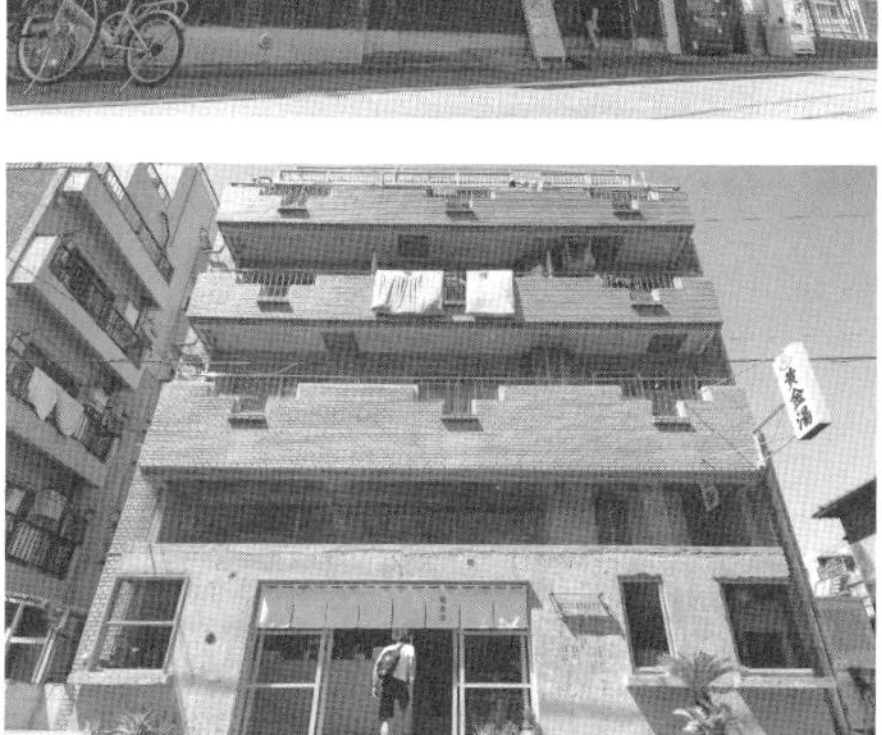

(右)オーナーの新保夫妻　[大黒湯]と[黄金湯]のダブル経営を手掛ける新保卓也・朋子
(左上)[大黒湯]外観　伝統的な宮造りで背後にスカイツリーがそびえ立つ
(左下)[黄金湯]外観　[大黒湯]とは対照的なビル型銭湯

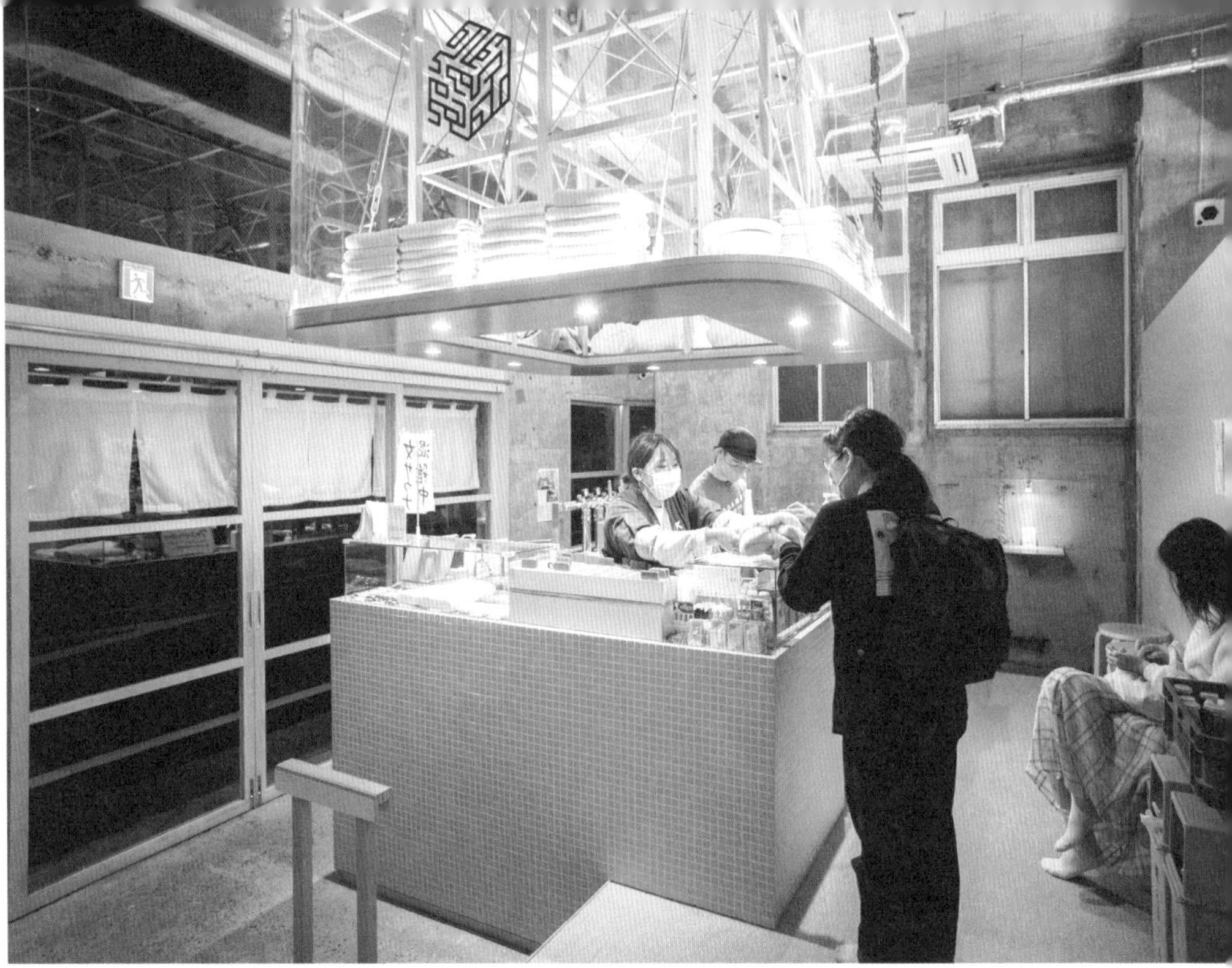

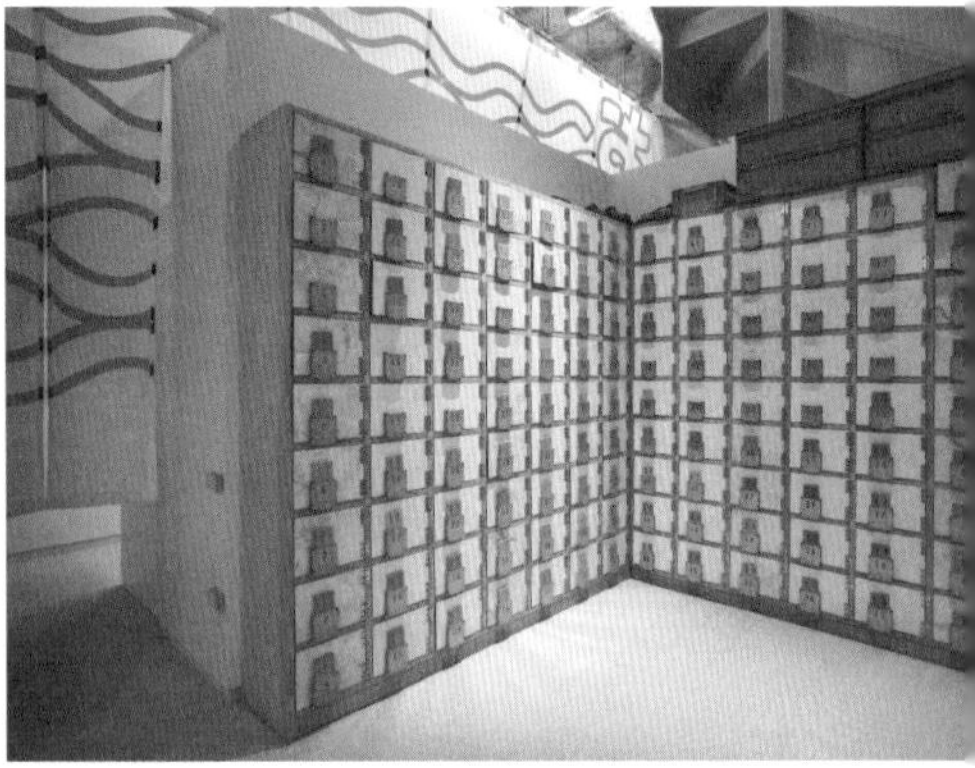

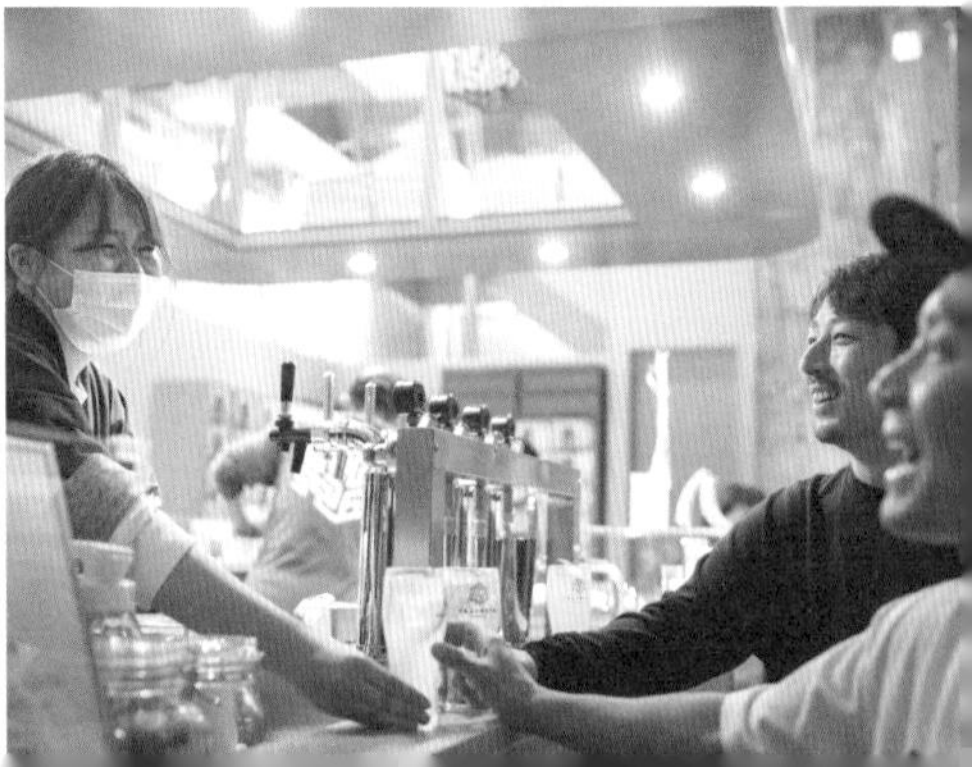

(上)脱衣所　独創的なのれんとフィンランド木製家具が不思議とマッチする空間

(下)湯船　足の伸ばせる広いお風呂はやっぱり気持ちよい

右ページ
(上)エントランス　スケルトン素材のスタイリッシュで開放的な玄関口

(右中)靴箱　靴箱だけはリニューアル前の年代物がそのまま使われている

(左中)フロント　客とスタッフの境界がほとんど感じられないカウンター

(右下)バーカウンター　湯上がりに嬉しい自家製スカッシュやクラフトビールも充実

(左下)ターンテーブル　客が持ち寄ったレコードを浴場内のBGMとしてかけるユニークなサービス

東京中に知らしめているのが、リニューアルを機に新設されたサウナの存在だといえます。

先にも述べたように、入浴料に破格の価格統制を受け入れている銭湯では、本来あまり冒険的な設備投資はできません。ですが例えば、飲料の販売やタオルのレンタル、洗体やマッサージなどの付帯サービスに関しては、追加料金の徴収が認められています。そして、銭湯ビジネスの典型的なオプション・サービスのひとつが、「サウナ室の利用」です。

戦前の銭湯には、サウナ室はもちろん存在しませんでした。ところが1960年代以降、サウナというまったく新しい入浴法が日本へ流入し、都市部にはサウナがメインの入浴施設が次々つくられ、一気に人気を博します。ただでさえ利用者が減りつつあるのに、その潮流にますます客足を脅かされるようになった銭湯の経営者たちは、なんとか流れに乗ろうと、1970年代から浴場内を最小限に改装し、小型のサウナ室を設置し始めたのでした。

とはいえ、昔ながらの建物に新たにサウナ室を設けるのは簡単ではなく、敷地的にも設備的にも限りがあります。結局銭湯サウナは、(少なくとも昨今のサウナブーム以前は) 一部の常連ばかりが熱心に利用している、湯船のおまけという存在感を超えることができませんでした。

いっぽう、新保夫妻が黄金湯の全面リニューアルに着手した2019年は、マンガ版やドラマ版「サ道」のヒットのさなかでもあり、まさに現代のサウナブームが勢いづいたタイミングでした。

長く銭湯経営に携わっていた妻の朋子自身は、もともとサウナに対して懐疑的で、とりわけ水風呂なんて拷問のような設備が何のために存在するのかとすら思っていたと言います。ところが、『サ道』の作品内で説かれるサウナ→水風呂→外気浴という明快な入浴サイクルと、その先に待つ〈ととのった〉感覚に興味を抱き実践してみたら、すぐに虜になってしまったのだそう。せっかく全面リニューアルを行なうのだから、普段スーパー銭湯やサウナ施設に通っている感度の高い愛好家たちにも喜んでもらえるようなサウナを、伝統銭湯にもつくりたいと強く志すきっかけを得たのでした。

黄金湯のサウナは、男性側と女性側で大きくスタイルが異なります。ただし週に1回「入れ替え日」があるので、定期的に通えば両方のサウナを体験することができます。

女性サウナは、収容人数4名のこぢんまりしたフィンランド式サウナ。ちょうど現代のフィンランド人家庭にある典型的なサウナ室に近く、日替わりのアロマ水でセルフロウリュを楽しめます。ベンチの素材は日本の伝統的な浴槽建材でもある国産ヒノキ材で、リラックス効果のある特有の香りが立ち込めます。

水風呂は浴場内の一角にあり、フレッシュな地下水を掛け流しています。残念ながら構造上、女性サウナからは屋外に出られないため、外気浴は浴場内のベンチに腰掛けて楽しみます。

男性側のサウナ専用スペースは、もともと湯を沸かすために薪を焚いていたバックヤードおよび中庭に確保しました（いまはガスでお湯を沸かしています）。15度のキンと冷たい水が張られた広い水風呂の天井が煤けているのは、その時代の名残です。最大12名入れるサウナ室は、銭湯サウナとしては異例の広さ。しかも昨今の男性サウナ愛好家たちが喜ぶ高温設定（約百度）です。15分に一度、天井から自動でサウナストーブに水が噴射されることで発生する蒸気が、室内を潤わせます。

黄金湯の男性サウナ室の何よりの売りは、限られたスペースを逆手に取った動線の巧みさ。熱めのサウナを出た目の前に開放感ある水風呂、さらにそのすぐ奥が吹き抜けの外気浴スペースとなっています。サウナ→水風呂→外気浴の3点サイクルを重視するサウナ愛好家たちの間では、移動に時間をかけず、それぞれの段階で得られる快楽や効能をすぐに次へと繋げられるスマートな動線は、とても評価が高いのです。

(右上)女性水風呂　浴場内の湯船のひとつが水風呂になっている
(右下)ロウリュ用のアロマ水　女性が好む香りが日替わりで楽しめる
(左)女性サウナ室　こぢんまりとしていてセルフロウリュも可能

サウナ　男性サウナ室はベンチに国産のヒバ材が使われている

水風呂　サウナ室を一歩出た先が水風呂という、愛好家が喜ぶ動線設計

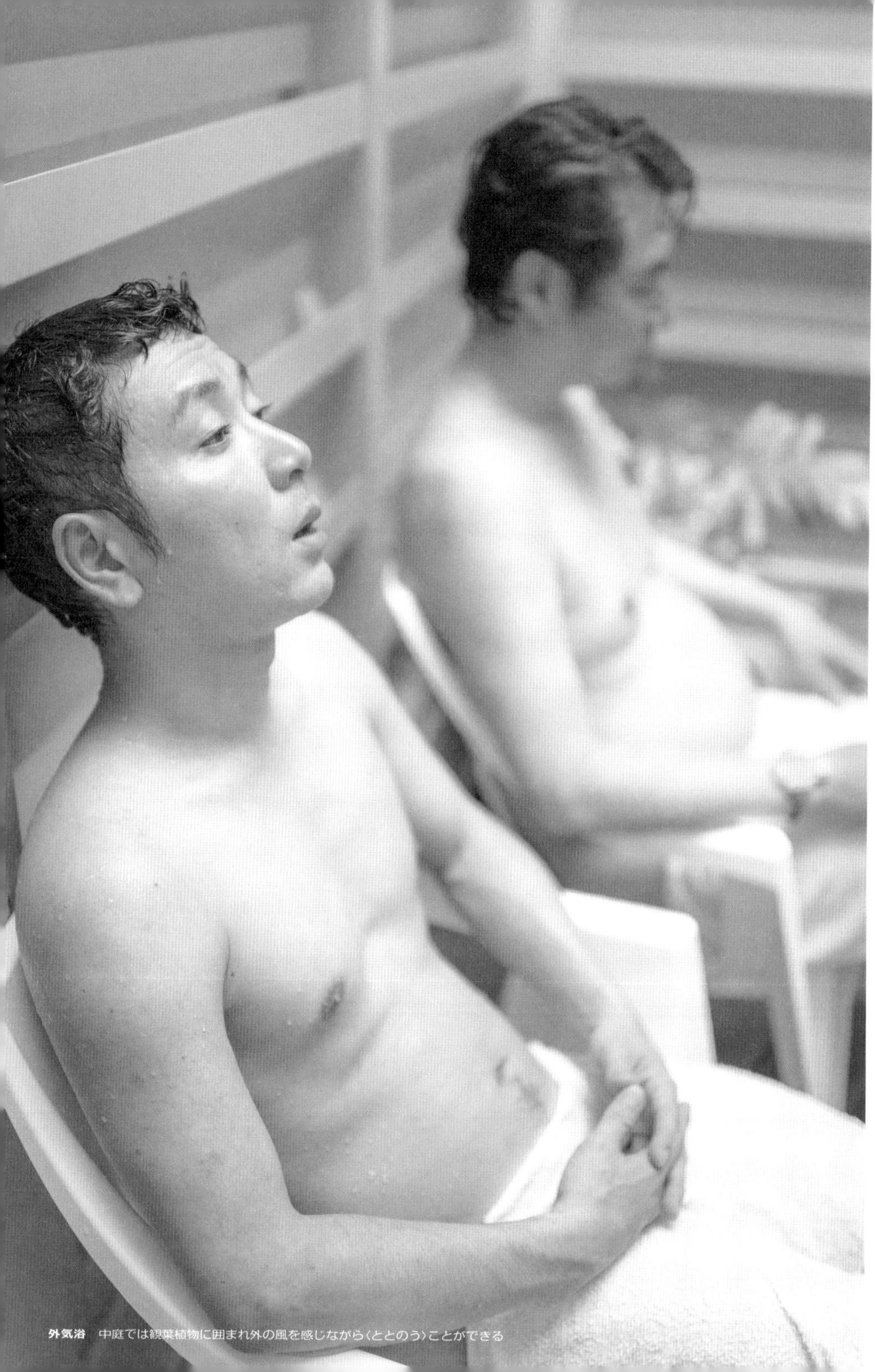

外気浴　中庭では観葉植物に囲まれ外の風を感じながら〈ととのう〉ことができる

●サウナを機に銭湯通いを始めた人が他者との共生の楽しさにも気づける場づくりを

新生黄金湯にあるのは、決して唯一無二の奇をてらったスペシャルなサウナではありません。最小限ながらうまく動線設計のなされたシンプルなサウナは、サウナ愛好家たちを満足させるクオリティを満たしつつ、日本人にとっての白米のような、〈普段使い〉という銭湯本来の敷居の低さを保ちます。まさに、深夜の仕事帰りにでもひと足伸ばしてふらっと立ち寄りたくなる、何気ない日常に寄り添ったサウナ付き銭湯なのです。

そして何より、サウナをきっかけに黄金湯に足を運ぶようになった若い世代の人たちは、古き良き銭湯の魅力にも自然と気づくことができます。

確かに黄金湯は、施設自体は新しく端々にスタイリッシュな意匠が光りますが、浴室にはいまもスタンダードな銭湯の趣が十分に残っています。何種類もの異なる温度や入浴剤入りの日替わり湯が張られた浴槽は、当然ながら家のお風呂よりも広々していて、体を伸ばしてゆったりくつろげます。

また、裸の他人同士で同じ湯を共有する時間は、おのおの自分の世界に没入しがちなサウナ室とはまた雰囲気が違って、不思議と心地良い連帯感に和まされます。水飛沫の音に紛れてあちこちから聞こえる、常連さんや仲間連れのたわいないおしゃべりも、狭くて静かなサウナ室だと悪い意味で気になってしま

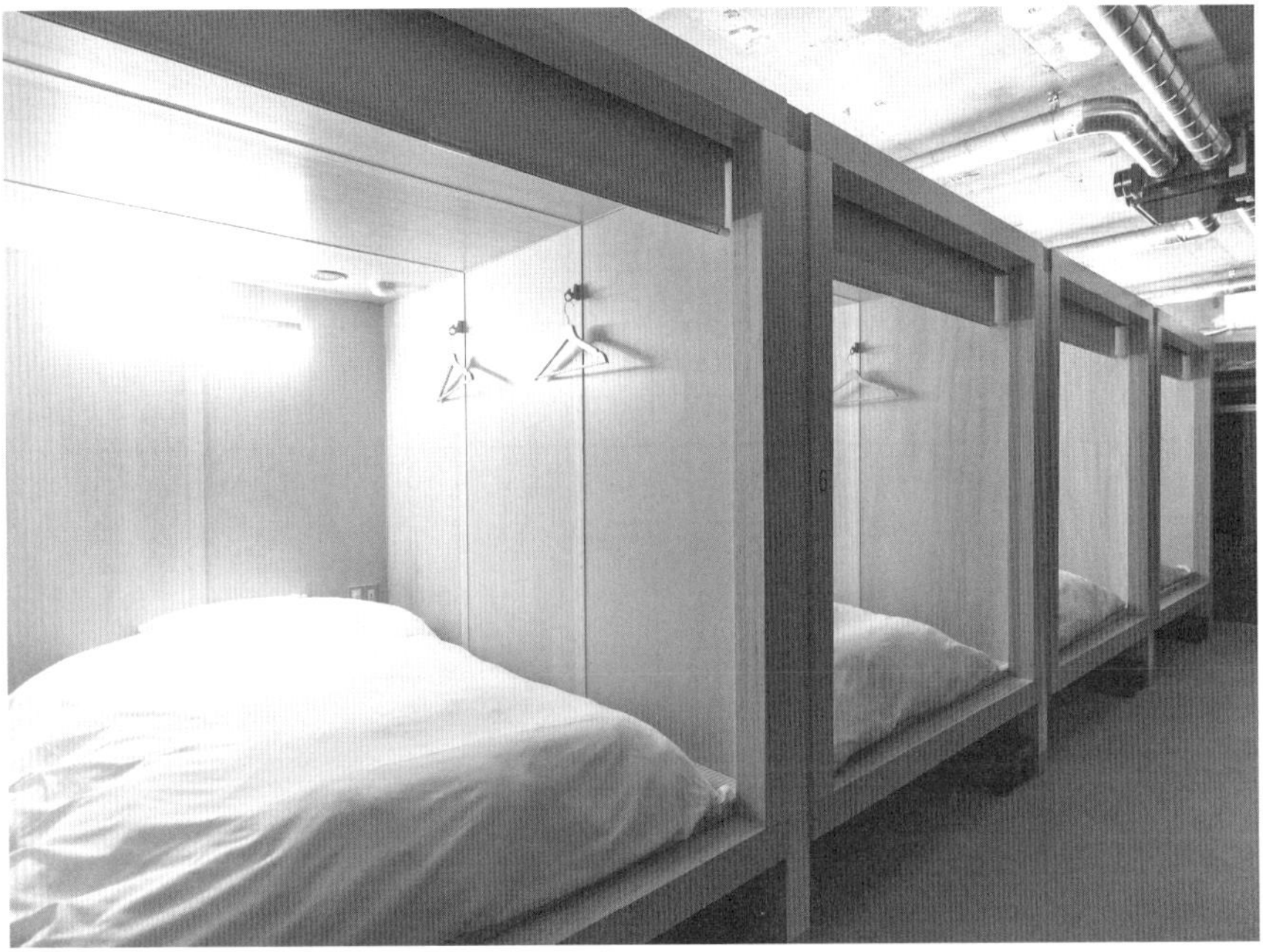

休憩・宿泊室　外国人にも喜ばれる、畳の上に布団を敷く仕様

うけれど、残響のある開放的なお風呂場ならむしろ、平和的で心地良いＢＧＭにも思えてくるものです。

「東京に暮らす人は、日々の生活に孤独を感じている人も少なくありません。銭湯は、他人とのささやかな交流や居場所の共有を通して、心地良さと安心感を得られる、現代生活のなかの希少な共生空間ではないでしょうか」

そう語る夫妻は、サウナをきっかけに訪れてくれる愛好家たちにとってだけでなく、従来の常連客たち、あらゆる趣味趣向をもった世代の人や外国人観光客までが集って、多様なコミュニケーションを楽しんでくれるような「グローカル（global × local）」な銭湯を目指し、改革の手を止めません。２０２１年秋には、銭湯の上階にゲストハウスや食堂、イベントスペースもオープンさせました。

それはまさに、〈まちのお風呂場〉に台所とリビングルームと寝室を増設したようなもの。あらゆる人たちを、一期一会の家族として迎え入れる〈みんなの実家〉を目指す黄金湯は、昨今のサウナの求心力に大きく支えられながら、コロナ禍の打撃にめげずポジティブに進化を続けます。

夜の出入口　深夜でもふらっと立ち寄ってリラックスできるのが、まちの銭湯の良いところ

2 一歩先の体験を開拓する独創型

File_3

霊山に佇む旅館がつくり出した幽玄のサウナ

御船山楽園ホテル らかんの湯（佐賀県武雄市）

佐賀県武雄市にそびえ立つ御船山《みふね》は、7、8世紀に仏教布教に貢献した僧侶の行基が入山し、500体もの羅漢の仏像を安置したとされる、神聖な岩山です。山麓には1840年代に佐賀藩によって造園された美しい回遊式庭園が広がり、とりわけ春は、山肌をピンク色に染めるツツジを愛でに全国から人びとが来訪します。この日本古来の信仰や景勝が息づく山の麓で営まれる老舗温泉旅館に、愛好家たちの間で近ごろもっとも話題に上がるサウナがあるというと、いささか不思議に聞こえるでしょうか。

御船山楽園ホテルの大浴場**らかんの湯**では、2019年夏以降、歴史ある温泉浴槽と並んでフィンランド製のサウナストーブが稼働しています。そしていまや、そこから噴き出す蒸気を旅の一番の目的に、遠路はるばるこの宿を訪れる客も少なくないというのです。

サウナ愛好家たちを喜ばせる特色のひとつが、男女それぞれの浴場にまったく異なるデザインのサウナ室、水風呂、そして外気浴スペースが待っていることです。しかも早朝にのれんが掛け替えられ、朝の入浴時にはそれぞれ、前夜と異なる趣向のサウナや温泉を堪能できます。

この大浴場は、宿泊客はもちろん、日帰りの立ち寄り客にも開かれています（事前予約制）。ただし、非宿泊客が浴場を利用できるのは午後の数時間だけで、一度の訪問で両方のサウナの魅力を体験することまでは叶いません。だからこそ、片方の浴場に惚れ込んだ日帰り客たちが「次こそは泊りがけで」と、再び足を運んでくれるのだといいます。

女性サウナ室のストーブ　母体の子宮の居心地がイメージされた、白色の幻想的なサウナ空間

●余剰を削ぎつつ光や音をわずかに採り入れ自然の機微へと意識を向ける空間

それでは、日本人の琴線に触れると評判の、独創的なサウナの意匠やそのコンセプトを、片方ずつ紹介してゆきましょう。

男性浴場の更衣室を抜けると、立ち木が目を引く屋内空間に、洗体場とシンプルな内湯がひとつ。水底で色とりどりの石盤がゆらめく浴槽には、無色透明で柔らかな武雄温泉の湯が引かれています。武雄温泉は、戦国時代には豊臣秀吉率いる多くの朝鮮出兵勢が、江戸時代には日本で西洋医学を教育したドイツ人医師シーボルトや測量家の伊能忠敬らが心身を癒やしに訪れた、歴史ある名湯です。屋外テラスにも、額を山風に晒しながら長く心地良く温泉に浸かれる、適温の露天風呂があります。

話題のサウナ室は、洗体場そばの黒塗りの壁と同化した、重たい扉を開いた先にあります。ずっしりと熱く、静かで、公共スペースにしては驚くほど暗い空間です。ベンチと床には木板が敷かれ、長身の石積みストーブが中央で凛とそそり立っています。その構成要素や照度は、筆者自身の慣れ親しんだフィンランドのサウナ室にとてもよく似ています。ところが、幾何学的なベンチが折り重なってヴィンヤード（ぶどうの段々畑）型ホールのようにゆるやかにストーブを囲むという座面配置は、日本でもフィンランドでもあまり見かけません。

空間内でもっとも印象的なのが、真っ黒な壁と天井によって完全に閉ざされた陰の空間に切り込む、一筋の光の柱です。人工のバーライトではなく、壁と壁の狭間から自然光が差し込んでいるのです。光は、漆黒の空間に立ち上る白い蒸気とその陰影を印象深く浮かび上がらせます。天候や時間の移ろいとともに、明かりの質や射角、床に投影されるストーブのシルエットは、日時計のように変化してゆきます。

もうひとつ、このサウナ内で〈外界の自然との邂逅〉をうながす驚きの装置があります。それは、四方の壁にさり気なく埋め込まれたスピーカー。旅館の周囲に広がる鬱蒼とした森に仕掛けられた集音器が〈森のなかのライブ音〉を拾い、スピーカーを通してサウナ室内に漏れ込むようになっているのです。

実際に室内でしばし時間を過ごすとよくわかるのですが、森というのは、何事も起こらない限り、わたしたちが期待するよりもずっと静かなものです。観光PRビデオで流されているような心地良い鳥の歌声や木々のざわめきが、いつでも都合よく聞こえてくるわけではありません。そのほぼ無音の空間で、汗が背中を伝うのを感じながら静かに目を瞑り、じっと辛抱強く耳をそばだててみます。すると時折、小動物が草を踏み鳴らして過ぎ去る姿を想像させる葉擦れ音、そぼ降る通り雨のかすかな雨だれなどが、蒸気と一緒にそっと身体へと染み込んでくるのです。

絶えず変化しマイペースに営みを続ける外の自然世界の要素

を、建物の内部に取り入れようとする努力は、フィンランドの近代以降の建築でも非常に重視されてきました。日本人とフィンランド人の生活空間に対するアプローチは、常に外の自然と繋がっていたいという欲求がベースになっている点で、不思議といつでも強く共鳴します。

また男性サウナ室では、ロウリュの「香り」にもこだわりがあります。ストーブのそばに置かれた桶に貯められているのは、佐賀の名産品でもあるほうじ茶。焼け石にかければ、蒸気の対流に乗って芳しく懐かしい香りが鼻孔をくすぐり、熱さで固くつむっていた口元も思わずゆるみます。聞けば、香りとリラックス効果をもたらす成分テアニンがもっとも溶け出す焙煎のために、地元の茶づくり職人とたびたび試行錯誤を重ねており、毎日何時間も水出しして仕込んでくれているのだそうです。

そういえば、フィンランド式のサウナに欠かせない柄杓と桶を用いたロウリュの動作は、日本の茶道において茶釜からお湯を汲み出す仕草にもよく似ています。実はこうしたところにも、日本人とフィンランド人に共通する潜在的な美的感覚が息づいているのかも、という考えも頭に浮かびます。

ともあれ、この暗く極端に情報量の少ない密室空間で、熱さにじっと耐えながら己の五感を研ぎ澄まし、自然世界との一体感やその快に没入してゆく行為……それはまさに、禅の修行や精神世界を彷彿とさせるものです。事実、中世以降に日本各地

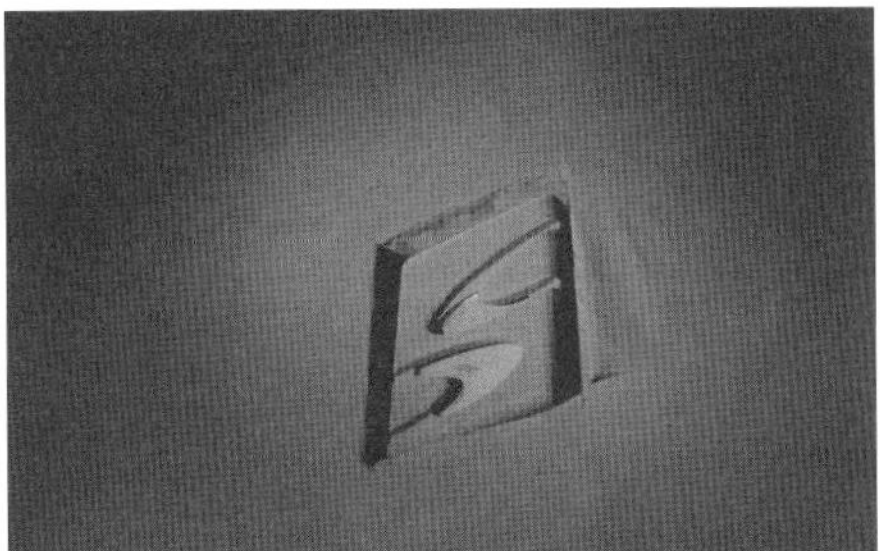

(右上)ほうじ茶ロウリュ　蒸気がもっとも香り高くなるよう調合されている
(右下)森の集音スピーカー　サウナに居ながら森のライブ音を耳にすることができる
(左)男性浴室　木立の柱に香りの良い白樺の葉束が飾られる

男性サウナ室　暗がりのなかでは、スリットから滑り込む太陽光の質や角度も変化する

女性サウナ室　男性側とまったく対象的な色彩と流線に囲まれた女性サウナ室

(左上)女性水風呂　産道のイメージが投影された女性側の水風呂　**(右上)男性水風呂**　温泉水が冷却されている深めの男性水風呂　**(中)女性露天風呂**　武雄温泉の露天風呂には森の緑色が溶け込む　**(左下)男性外気浴ベンチ**　御船山の自然の息吹を感じながらの外気浴　**(右下)休憩所のスイーツ**　女性側の休憩所ではさまざまなスイーツや飲み物の提供も

に創設された禅寺においては、狭くて暗い浴室で線香1本が燃え尽きるまで熱い蒸気を浴びながら、座禅を組んで悟りを開くという修行も実践されていたのです（103ページ参照）。

サウナという言葉や入浴法は、つい半世紀前にフィンランドから日本へとたどり着いたものです。ですがその様式や美学には、国境と時代を超えて日本人の作法や魂に深く呼応する要素が、不思議といくつも潜んでいます。そして、本家フィンランドの伝統文化に対するシンパシーを日本人らしい感性で結晶化したのが、この「幽玄のサウナ」ではないでしょうか。

●本能的な安心感をもたらす流線と白光に満ちたサウナ

では、女性側の浴室やサウナはどうでしょう。女性浴場は森により近接していて、露天風呂に張られたお湯には、眼前の木々の緑が美しく溶け込んでいます。また、リラックス効果に敏感な女性側にだけ、みずみずしい柑橘の香りの蒸気が充填された、小さなミストサウナ室も付いています。ですがもちろん、それは本命のサウナ室ではありません。

先ほどの暗がりの男性サウナの残像とともに女性サウナに入室すると、強烈なコントラストに面食らうと同時に、そのあまりに幻想的なムードによって、すぐに心身が現実世界から離脱します。とにかく、白くまばゆい空間。そして、直線的な構成要素の目立った男性側のサウナに対して、女性側では壁もベンチも天井も、あらゆる面がゆるやかな流線を描きます。背後にそびえる御船山の、羅漢が安置された洞窟のようなくぼみもあります。

天井にいくつも空いた穴はスカイライトになっていて、自然光が律動的に降り注ぎます。その陽だまりや間接光の色味は思いがけず多彩で、「白」にもいかにバリエーションがあるか、気づかせてくれます。これらの要素一つひとつは本来の自然世界の形象の模倣であり、同時に、母体の子宮を浮遊していたときの感覚を追体験する場、というコンセプトが投影してあるといいます。つまり、誰もが理性にしばし封をして本能的に安らげる、情緒や感受性重視のサウナ空間です。

女性サウナでは、ほうじ茶ロウリュに代わって、素敵な趣向も用意されています。アロマを染み込ませた雪玉（キューゲル）をストーブの焼け石の上に置き、徐々に溶け出すのに合わせて発生する微弱な蒸気と香りを楽しむ、ドイツ式サウナのメソッドです。

入口隣の冷凍庫には、ヒバや薔薇、佐賀名産のみかんなどの香り付けがされたカラフルな雪玉が格納されています。入浴者は好みの雪玉をサウナ室に持ち込んでストーブに載せ、束の間やさしく香る蒸気に身を委ねます。いつか雪遊びやお花摘みに夢中で興じた遠き日の思い出が蘇ってくるような、なんとも乙女心をくすぐる演出です。

●ストーリー演出の延長にある水風呂と神聖な自然世界に繋がる外気浴スペース

日本のサウナでは水風呂が欠かせない、という話はすでにしました。らかんの湯の両サウナのそばにももちろん、こだわり抜かれたサウナ室に見合った、上質な水風呂が待っています。

男性側には、肌触りの良い温泉水が常時16度に冷やされた、屋外の円形浴槽。女性側には、子宮内が象徴されたサウナ室からの流れを汲んで「産道」のイメージで設計された、光射すスカイライトを見上げて入るタイル張りの小プール。それぞれ、火照った体をここで一気に冷却します。

入水後は、広大な庭のあちこちに設置されたシリコン製ベンチやソファに寝そべり、神聖なる御船山の木々や空、夜なら満天の星を眺めながら、贅沢に〈ととのい〉の瞬間を迎えます。興奮状態の脳や心拍が落ち着きを取り戻すまで、ただただゆったりと心身を休めるも良し、あるいはもちろん、温泉に浸かって体をじんわりあたためなおすのも良いでしょう。

らかんの湯は、日本人がサウナ体験に求めるサウナ、水風呂、外気浴すべてにおいて、ほかに類を見ない気品と審美性、日本人のゲノムに訴えかける精神性を宿していることが、おわかりいただけたでしょうか。だからこそ、オープン後直ちに、日本最高峰の「ととのう旅館浴場」としての称号を得たのです。

(右上)キューゲル　雪玉が溶けるにつれて心地良い香りが立ち込める
(右下)女性外気浴ベンチ　石造りのオーバル型屋外ベンチ
(左)女性休憩所　薪ストーブが焚かれる室内で、ベンチに寝そべり森林浴

(上)春の御船山　断崖絶壁がそそり立つ御船山の中腹には、ツツジの名所で知られる回遊式庭園が広がる
(下)[御船山楽園ホテル]フロント　ロビー空間を取り巻くteamLabの作品は、訪問客に反応して色光を伝搬させてゆく

左ページ
旧大浴場のアート作品　廃墟と化したかつての浴場跡地に常設されたteamLabの作品群。感性の研ぎ澄まされた入浴後にぜひ観て回りたい

●サウナで身体感覚の感度が上がったあとは
宿泊体験の感動もランクアップする

この唯一無二のサウナ体験の場づくりを構想し、実現に導いたのが、家族経営を続ける御船山楽園ホテルの現オーナー**小原嘉久**さん。東京で音楽DJとして活躍したのちに故郷佐賀に戻り、32歳で実家の巨大事業を継いだ、ユニークなキャリアの持ち主です。小原は、ホテル改革に奮闘する合間に趣味で通っていた、北海道のスノーボードリゾートにある温浴施設でサウナに目覚めたといいます。

蒸気浴と雪浴びの交代浴の先に心身を包む快感は、幼少期から慣れ親しんだ温泉に浸かるくつろぎとはまた別ものでした。何より不思議なことに、サウナ浴のあとは食べ物も一段と美味しく感じるし、自然世界も芸術作品もよりいっそう美しく眼に映り、感動が増幅する――つまり、あらゆる身体感覚の感度が上がっていることに気づいたのだそうです。

御船山楽園ホテルは、ロビーや館内に残る旧浴場の廃墟空間でデジタルアート集団**teamLab**の常設作品を一般公開する〈美術館ホテル〉としても以前から名を上げていました。また、御船山の回遊式庭園内で小原が営むもうひとつの高級旅館**竹林亭**は、1室ごとに異なる趣の格式高い和室を有し、調度品から窓先に続く庭園の景色、朝夕のお料理にまで、徹底された日本古来の美意識が煌めきます（竹林亭の宿泊者も、らかんの湯を利

宿泊者専用の［茶屋Bar］　風流な縁側に腰を下ろし、池に映る木々や虫の音を愛でながら寝酒をいただく

用できます）。そして、両ホテルの滞在者を癒やす何よりの天賦の美が、四季折々艶やかに表情を移ろわせる、霊験あらたかな御船山の大自然です。

　それらはすでに、人びとを感動させるには十分すぎる美的価値を有していますが、研ぎ澄まされたサウナ後の身体感覚や感

［らかんの湯］にオープンした薪サウナ　2021年10月には薪サウナ室を各浴場に新設。武雄近郊の間伐材を薪に、御船山の古石をサウナストーンに、武雄温泉の源泉をロウリュの水に使い、サウナを通して郷土の歴史と自然を体感できる

性で味わってもらえたなら、旅館での体験すべてがいっそう豊かになるのではないか。そう考え、伝統ある温泉宿に敢えて外来文化のサウナを持ち込む一大決心をした小原は、2019年1月にフィンランドとドイツのサウナ巡りの旅へと出かけました。そして、本場の地での見聞や体験を下地に、御船山に息づく自然風土や歴史の魅力、さらに日本人特有の美意識や伝統をかけ合わせることで完成したのが、この二つの究極的なサウナだったというわけです。

「古来日本には湯治という習慣がありましたが、忙しい現代人には、そう何日も温泉宿にこもる時間はありません。けれどわたしは、サウナと温泉という二つの国の伝統温浴の場を併せて提供することで、短期滞在の旅人でも十分に心身を蘇生できる〈湯治の場〉としての本来の役割を、現代に引き継ぐことができると信じています」

　このように温泉に匹敵するサウナの価値を確信している小原は、2021年夏にプライベートサウナ付き宿泊部屋を、秋には武雄近郊の間伐材を利用する薪焚きサウナを旅館敷地内にオープン。さらに人びとを感動させるべく、サウナありきの宿泊体験をアップデートし続けています。

File_4

大都会へのフィンランド・サウナ移植実験

ウェルビー&サウナラボ グループ

（東京都千代田区、名古屋市、福岡市）

サウナ愛好家たちが、尊敬と親しみの意をこめて「サウナ界のゴッドファーザー」と呼ぶ、有名なサウナ経営者がいます。2021年現在、名古屋市、福岡市、そして東京都千代田区神田で計7店の人気サウナ施設を運営する総オーナー、**米田行孝**さんです。

日本で個性を光らせる人気サウナ施設は、そのアイデアを生み出して形にしたオーナーの名前も、併せて知れ渡るケースが多いです。米田はその代表格で、彼が新たなプロジェクトに着手したと噂が流れるたび、次はどんなサウナ体験が生まれるのだろうと、愛好家たちもにわかにそわそわし始めるのです。

米田が運営する7施設は、仕様やコンセプトごとに二つの系列に分類されます。名古屋に3店舗、福岡に1店舗を構える**ウェルビー**は、彼の祖父、そして父の代から基本設備を受け継いだ、男性専用のカプセルホテル付きサウナ施設です。

今日のウェルビーグループ創業者である米田の祖父は、先見の明をもって戦後次々に日本各地でサウナ付きのレジャー型入浴施設を創設し、日本サウナの黎明期を牽引した人物でした。現在のウェルビー店舗は、男性専用施設という昔ながらの業態を踏襲しつつも、たびたび浴室の設備や内装の改装を行ない、提供サービスを更新し続けています。

いっぽう、2017年春に名古屋で1号店が完成して以来、2020年に福岡で、そして2021年に待望の東京で相次いでオープンした新系列が、**サウナラボ**（SaunaLab）という予約客専用の〈前衛的な〉入浴施設です。こちらは男女共用で、とりわけ女性が気軽に足を運びたくなるサウナという視点から選ばれた設備やしつらえが目を引きます。

●サウナは、人を癒やして活力を与える森のような存在

これらの独創的なサウナワールドを案内する前にまず、米田自身のサウナに対するビジョンや、それを形成した彼のサウナの原体験について触れておきたいと思います。

幼少期から昭和の日本式サウナが常に身近にある環境で育っ

［サウナラボ福岡］休憩所　愛好家なら誰もが憧れるフィンランド・サウナ協会の本拠サウナ施設の休憩室の雰囲気を再現

た米田。ところが、彼の人生を揺るがした鮮烈なサウナ体験は、２００６年に国際サウナ協会の会議へ参加するためフィンランドを訪問したときに、はじめて入ったスモークサウナだったといいます。スモークサウナというのは、排煙装置を持たない原始的なサウナの様式です。蓄熱性抜群の巨大薪ストーブを延々焚いて有害な煙を逃してから、煤けた空間でのスモーキーなサウナ浴を楽しみます。

「大自然のなか、湖に浮かんだとき、地球を背負っているかのような感覚を味わいました。薄暗がりのなかでのロウリュの心地良さ、スモークの香り、窓から差し込む優しい光。サウナは自然と繋がることだと再認識しました」。いまでも米田は人生初のスモークサウナの感動を鮮明に思い出せると誇ります。

当時まだ、日本でのサウナ浴といえば、もっぱら都会の閉鎖的なビル内で楽しむものでした。フィンランドの大自然に包まれたスモークサウナでの体験が、彼のサウナへのイメージを根底から覆すほどのインパクトを有していたことは、想像に難くありません。

フィンランド・サウナの原体験を経て、米田のなかで、日本の都市でサウナ体験を提供してゆくための揺るぎない指針が定まりました。それは、現在のウェルビー各店が掲げる「わたしたちはまちにサウナという木を植え、森を育て、人々に元気を届けます」というモットーによく表れています。つまり、サウナはどこにあってもそれ自体が自然の一部。そこに居るだけでリラックス効果と生命エネルギーをくれる森のように、万人をおおらかに守り、癒やし、活力を与えられる存在であるべきだ、という理念です。

定期的に改装を重ねるウェルビーの各店舗では、自然世界や本場のサウナとの出会いを意識した意匠や工夫が、随所に見られます。訪問客はそこで、まるで米田自身の個人的なフィンランド・サウナ体験の感動をおすそ分けしてもらっているような気分に浸れるのです。

●本場の模倣だけに囚われない 遊びごころと反逆性を貫いたオリジナル・サウナの創出

ウェルビーの各店舗に一歩足を踏み入れると、浴場でも休憩室でも、至るところに使われた木材があたたかな雰囲気を醸し出し、大都会の窮屈なビルに閉じこもっていることを忘れさせてくれます。まるでもともとそこに植わっていたかのように白樺の幹枝が随所に直立していて、北欧の情緒も誘います。

ベンチの隙間からの間接照明で柔らかく発光するサウナ室は、おそらくフィンランド人にとっても、自国のサウナ室と見まごうであろう再現度の高さ。米田が何度もパートナーの大工とともに現地を訪ね、本場サウナの構造やディテールを数多く視察してきた成果が、デザインだけでなく、空気孔のとり方や

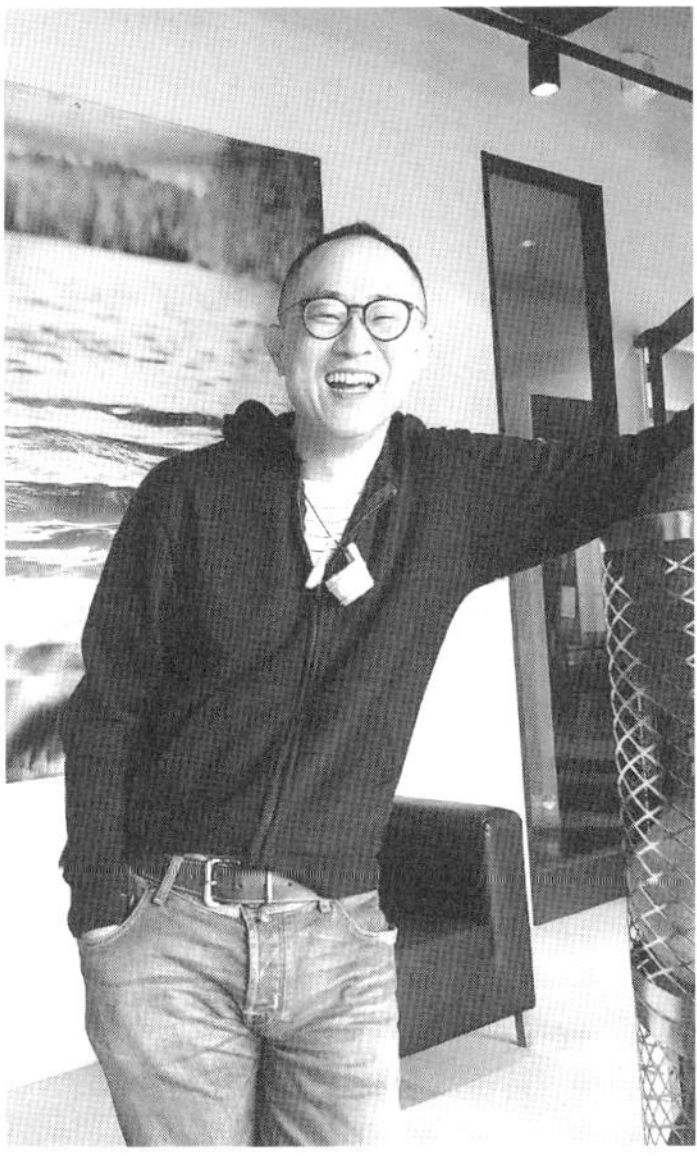

(上)[ウェルビー福岡]外観　施設のコンセプト・恵みの森の巨大イラスト
(右下)[ウェルビー福岡]サウナ室　フィンランドのサウナ室の構造が巧みに再現してある
(左下)総オーナーの米田行孝　常に前衛的なサウナを仕掛けるので「サウナ界のゴッドファーザー」と呼ばれる

[ウェルビー栄]アイスサウナ　極北の冬を再現した凍てつく空間の水風呂体験

[ウェルビー福岡]ワーキングスペース　ワークスペースではあるが、まるで居心地の良いカフェのような雰囲気

(上)[ウェルビー福岡]浴室　もともとあった湯船を取っ払いサウナ室を増設した

(中)[ウェルビー福岡]水風呂付きサウナ室　サウナ室からドアを開けずして水風呂にたどり着ける

(右下)[ウェルビー福岡]外気浴室　都会の1室に森の居心地が再現されている

(左下)[ウェルビー福岡]サウナマットとサウナパンツ　エチケット用のサウナパンツの貸出しは西日本の男性サウナ文化といわれる

ベンチの高さなど細部に活かされています。どのサウナでも、従来の日本サウナより多湿で呼吸がしやすく感じるはずです。

いっぽうでウェルビーの各店舗には、フィンランドのサウナでは絶対にお目にかかれない仰天の空間もあります。例えば名古屋栄店には、なんと冬のラップランド（北極圏）の凍土を再現したマイナス25度の凍てつく空間に、かろうじて凍らずにいる水温2度の水風呂が設置されています。これはまさに、時空と場所を超えて、極北の暮らしに根づくアヴァント（フィンランド人が冬のサウナ浴の合間に飛び込む、凍った湖に開けたアイスホール）へと瞬間移動できる、究極の異空間です。

また、コロナ禍の閉鎖期間を利用し大きなリニューアルが行なわれた福岡店では、熱々のサウナ室内の床に水風呂を収めてしまう……という驚愕のサウナ空間が披露され、愛好家を沸かせました。聞けば、この斬新なサウナ室を新設したいがために、当時そこにあった風呂の浴槽をそのまま取っ払ってしまったそう。我が国の入浴文化の核である風呂を撤去してまでサウナをつくるなんて！　新しいサウナ体験のためなら何だってする、米田の狂気じみた創作意欲が伝わる武勇伝のひとつです。

●現代アートのように解釈の余地を残す、観念的なサウナ空間

このようにウェルビー店舗でも十分に感じ取れる、「本場のサウナの模倣だけにとどまらないサウナづくり」に魅せられた米田の「遊びごころ」や「反逆性」がより鮮明に貫かれているのが、サウナラボ グループです。いずれの店舗にも、スタンダードなフィンランド・サウナ室に加えて、さまざまな趣向を凝らしたサウナ室がいくつもあり、まさにその名のとおり、前例のないサウナを考案しては実際に試してもらうための、〈実験の場〉の役割を果たしているのです。

例えば、サウナラボ福岡の木製階段をのぼった先にあるツリーハウスのような「ロフトサウナ」。1名入るのが精一杯の小部屋に行き着くと、ベンチの代わりにどうやら床に置かれたクッションに直接腰を下ろすよう。あたりを見回すと、なんとそこから130センチも下方の奈落に、石の積まれたストーブがぼんやり見えていることに気づきます。

おそるおそる柄杓で水を「落とす」と、少し時間を経て、熱気がまるでエレベーターに運ばれてきたかのように上方へと到着し、周囲をふわっと温もらせます。実はこの個室の真下、つまり1階部分にも同様の個室があり、ひとつのストーブからのぼる蒸気を上下階で共有しつつも、それぞれ完全に独りの世界に集中することができる、という発想です。

「閉鎖的な空間で、床に直接腰を下ろして自分の心身に向き合う」という、座禅に端を発する実践や美学をさらに象徴化した最新サウナが、サウナラボ神田につくられた「池サウナ」です。こちらは2階建てではなく、壁で隔てられた2部屋の半個

[サウナラボ福岡]のサウナ群　「からふろ」を模したサウナやロフトサウナなどユニークなサウナが集結

室〈それぞれの眼前に専用のセルフロウリュ・ストーブがある〉と、複数人が同時に腰を下ろせる畳張りの共同座敷とが、ひとつの大きな暗がりの空間に収まっています。共同座敷の壁際には、池に見立てられた静謐な人工水路があり、空気の流動に合わせてかすかにさざ波を立てます。水際にぽつんと投影され、水面にも反射して揺らめく丸い光は、フィンランドの夜の湖畔サウナから眺める、空と湖面それぞれに浮かんだ〈二つの月〉の姿がモチーフになっているのだそうです。

　この空間では、米田が常に意識する「自然の一部としてのサウナ」が、フィンランドの伝統サウナ室や森の再現による〈視覚的な自然〉としてではなく、日本人が古来侘び寂びという言葉を用いて重んじてきた〈観念的な自然〉として、象徴的に表現されています。それはかつて、「自然や風土と共生する建築」を生涯のテーマに掲げつつも、木材を多用した建築から白色ばかりの抽象的な建築へと移ろっていった、フィンランド屈指の近代建築家アルヴァ・アールトの作風変化と哲学にも、大いに通ずるところがある気がします。

　……つい偉そうに筆者の解釈を述べてみましたが、そもそも、「サウナづくりにおける作風の変化が……」などと他者に議論の余地をくれる〈サウナの現代芸術家〉は、いまのところゴッドファーザー米田しかいないでしょう（笑）。

サウナラボ名物アイスサウナ　水風呂の代わりにマイナス25度の冷気を浴びてクールダウンする

ロフトサウナでのロウリュ　2階の座面からだと1.3メートル下のストーブに向けてロウリュすることに

[サウナラボ神田]男性サウナ室　流線型の桶サウナから1名用の瞑想サウナまで

[サウナラボ神田]更衣室　フィンランド公衆サウナの更衣室に倣ってロッカー前に腰掛けがつくられている

[サウナラボ神田]池サウナ　サウナ室に人口水路が張られ、月明かりに見立てられた明かりが揺らめく

【サウナラボ神田】1名用の瞑想サウナ　床に直接腰を下ろして静かに蒸気と向き合う

[サウナラボ神田]内気浴室　敢えて閉鎖空間で自然と戯れる時間を提供

●自然や自分と向き合う時間を失ってしまった都会人にこそサウナを差し出したい

サウナラボでは、水風呂と外気浴のスタイルも、それぞれ独自性を放っています。序章で説明したとおり、フィンランドは水辺のサウナでなければ冷水には入水しないので、人工的な水風呂はほぼ存在しません。本場に学んだオーナーが監修するこのサウナラボも、日本では珍しく水風呂を一切設けないサウナ施設です。代わりに、マイナス25度の冷風が吹きすさぶ冷凍空間（通称アイスサウナ）で身体を冷やすのです。

そして、神田店オープン当初から「この部屋は一体何なのだ?」と皆の困惑を招いた、あまりに不思議な外気浴空間を紹介しておかねばなりません。人ひとりがかろうじて腰を下ろせるくらいの、窓のない狭い小部屋。そこは、通常の外気浴に対して「内気浴」のための部屋と謳われています。

地面には、座面を除き本物の土が敷き詰められていて、香りの良いハーブや草花が健気に育っています。都心の自宅やオフィス街からサウナラボへと直行してくる客たちは、パソコンやスマホの束縛からようやく解放されて、サウナ直後の研ぎ澄まされた感覚器で、小さな自然世界の土の触感や草花の香りにも新鮮な癒やしを見出し、心身の活力をチャージします。

ささやかな自然の息吹は感じられるものの、自然風も自然光も一切届かない閉鎖空間。そもそもサウナラボ神田の全設備

［サウナラボ神田］休憩スポット　ヴィヒタ・マウンテンと名の付く心地良い丘陵型の休憩所

は、屋外の外気浴スペースどころか外に通ずる窓さえ一切もたない、都心の雑居ビルの地下につくられています。終日ほとんど外からの光を浴びず、自然らしい自然と触れることもない日常環境は、悲しいかな東京生活では珍しくありません。閉塞感の強いコンクリートジャングルに暮らす都会人にとって、幼少期の距離感で自然世界に接するこの内気浴空間こそ、差し出された自然との接点なのかもしれません。

いっぽうで、普段から本物の自然が身近にある人びとにとっては、隔離移植された植物を可哀想だとすら思うかもしれません。「感じ方は人それぞれ」という意味では、この部屋もまるで、ひとつの現代アートのようです。ここで何を感じるのか、〈ととのう〉のかどうか……それはまさに入浴客の、日ごろの生活環境や感受性次第ではないでしょうか。

窮屈な都会にこだわらずとも、この国なら少し郊外にさえ出れば、本物志向のフィンランド・コテージサウナをつくるのにふさわしい自然豊かなロケーションがいくらでもあります。にもかかわらず、米田が敢えて大都会にばかりサウナという森をつくり続ける理由はきっと、自然と切り離された土地に暮らす彼らが退館時にようやく見せる、ととのった笑顔のなかにこそあるのでしょう。

［サウナラボ神田］Kitchen Sauna　1階のカフェレストランではフィンランド料理の軽食もいただける

3　地域風土を活かすツーリズム型

File_5

キャンプ場に活気を招くテントサウナと滝壺水風呂

飛雪の滝キャンプ場（三重県南牟婁郡紀宝町）

三重県が位置する紀伊半島東部には、世界遺産にも登録された古く神聖な山や森が広域に鎮座し、巨木や奇岩を御神体として奉る自然崇拝が根づいています。豊かな自然に囲まれ、大阪、京都、名古屋からもアクセスが良いこの地にはハイキングコースやキャンプ場が点在し、夏のハイシーズンには近郊都市から多くのアウトドア客が集まってきます。

三重県の最南端にある南牟婁郡《みなみむろ》紀宝町には、一級河川の熊野川に沿って山里へと車を走らせた山中に、**飛雪《ひせつ》の滝キャンプ場**という小さな町営キャンプサイトがあります。飛雪の滝とは、このキャンプ場のシンボルとなっている高さ30メートル、幅10メートルの大滝の名称です。常緑樹に覆われた絶壁を急落する、真っ白な飛沫が雪のように清らかで美しいことから、江戸時代にその呼び名が定着したといいます。

三重の人にとっては、滝も畏敬の念を払うべき神聖な存在です。ところが飛雪の滝は、地元の人たちもレジャー客に対して寛容で、規模や地形的にも危険度が低いことから、夏には町民や訪問客が自由に滝壺に立ち入って水浴びやボート遊びを楽しむ、少し珍しい光景が見られます。

●寒い冬に真価を発揮するテントサウナをローシーズンのキャンプ場の名物に

2006年にオープンした飛雪の滝キャンプ場は、この魅力的な自然資源を有しながらも、先に挙げた主要都市からはもっとも遠い南端の奥地にあることなどから、長らくローシーズンの集客を課題としていました。そこで紀宝町は、2018年のリニューアルオープンに合わせて、キャンプサイト活性化のた

テントサウナと飛雪の滝　テントサウナ浴と滝壺ダイブは、キャンプ場での季節を選ばない名物アトラクション

めの新規事業に取り組んでくれる「地域おこし協力隊」を公募し、県内外から計3名の志願者を受け入れました。

馴染みのない方に簡単に説明しておくと、地域おこし協力隊とは、総務省が統括および財政措置を行なう地方移住希望者の斡旋制度のことです。公式サイトには、「都市地域から過疎地域等の条件不利地域に移住して、地域ブランドや地場産品の開発・販売・ＰＲ等の地域おこし支援や、農林水産業への従事、住民支援などの〈地域協力活動〉を行いながら、その地域への定住・定着を図る取組」だと説明があります。任期は1年以上3年未満ですが、その土地が気に入り、任期中に得た人脈や経験を活かして就職先や起業の目処が立てば、そのまま自治体に完全移住する隊員も少なくありません。

公務員を退職し、キャンプ場専属の地域おこし協力隊のひとりとして隣町から赴任してきた**佐竹剛**さんは、以前から自然資源を活かした観光レジャー産業に興味をもっていました。志願の時点ではキャンプサイト活性化の具体的な戦略はまだ描けていなかったものの、1年目の夏が終わり、肌寒くなるのに比例して客足が遠のく現状を実際に目の当たりにします。

キャンプサイトの無二の観光資源である大滝の魅力を活かしつつ、冬でも楽しめるレジャーが何かないものか……。しばらく四方にアンテナを張っていたところ、インターネットを通じて、ちょうど同時期から国内で普及の兆しが見られた「テントサウナ®」の存在を知りました。

テントサウナとは、歴史的にはフィンランドやロシアの軍事関係者が林間キャンプで使用してきたモバイルサウナのことです。折りたたみ可能なテントの内部にサウナストーブが設置でき、近年はアウトドアやフェス会場での利用向けにレジャー用品化が進んでいます。まさに気軽に持ち運べると注目を集めるサウナの新形態です（117ページ参照）。

佐竹は、このテントサウナこそが、あらゆる面でこのキャンプ場の強みを活かしつつ弱点をも補強してくれる救世主なのではと、そのとき直感しました。というのも、紀宝町は日本有数の温暖地域にあるとはいえ、冷え込む冬場にまで滝に接近したり、まして滝壺で泳ごうなんて考える人は、普通いるはずもないのです。ところが、幸運にも時は空前のサウナブーム。本場フィンランドには、真冬の凍った湖に穴を開けてサウナ後に入水する「アヴァント」という習慣があるくらいです。

飛雪の滝は冬でも凍ることはありませんが、冬場の滝壺の水温は10度を切ります（ちなみに10度を下回る強冷の水風呂は、極端な温冷交代浴の刺激を好む愛好家たちの間で「シングル」と呼ばれ、話題の種になります）。つまり、サウナであたたまったあとの「究極の天然水風呂」として滝壺を宣伝すれば、酔狂なサウナ愛好家たちなら真冬でも喜んで入水してくれるに違いない！　というわけです。

(右上)紀宝町の里山集落 熊野川周辺にのどかな田園風景が広がる
(右下)ととのい椅子から眺める滝 キャンプサイトの目の前でダイナミックに轟音をたてる飛雪の滝
(左)安全な浅瀬 滝壺の水際は十分浅いので、子どもたちも安心して水遊びを楽しめる

またキャンプサイトは国立公園内にあるのでこれ以上建物の新設ができません。実はそれが以前からサイト活性のアイデア実現の足かせとなっていました。けれど、設営・解体が自由な「レンタル品」扱いにできるテントという形態であれば、その問題もクリアします。ストーブをあたためるのに必要な薪木も、山林地帯にある三重ならたやすく調達ができます。

佐竹はさっそく、東京にあるフィンランドの**サヴォッタ社**製テントサウナのショールームを訪れて現物を目にし、手始めに最小のサウナテントを1基、キャンプサイトに取り寄せました。町役場の人たちや地域おこし協力隊の同期らも、はじめは佐竹のテントサウナやシーズンオフの滝遊びについてのプレゼンテーションに首を傾げていたようですが、それでも彼の前代未聞のチャレンジの可能性を信じ、後押しをしてくれました。

●自然を相手にしたレジャーのリスクは利用客の自発的な危機管理力とともに抑え込む

まずは佐竹自身も火起こしや安全管理に慣れる必要があったため、近隣住民や知人だけに声をかけて、体験会を繰り返しました。平常時にはダイブなんて考えられないシーズンオフの滝にも、サウナの熱で温もったあとなら、不思議と気持ちよく入水できるということも、体感的に確証を得ました。

運営準備がととのい、サウナと滝をかけ合わせた「サ滝」と

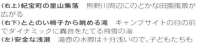

親子でロウリュ体験　親と一緒なら、子どもたちも貴重なロウリュや薪焚べを体験できる

サウナを楽しむ子どもたち　サヴォッタ社製テントサウナは温度帯もマイルドなのでファミリー向き

(上)瀑布の真下で飛沫を浴びるサウナ客　飛沫は意外に軽やかで、肌に当たってもあまり痛くない
(右下)滝壺への入水　繊細な水飛沫を浴びるのは最高に気持ちいい
(左下)テントサウナでととのった〜　入水後にベンチに寝そべると大人も子どもも幸せな笑顔になる

いうフレーズで少しずつ宣伝を始めたころ、有名なテレビ番組で紹介してもらうチャンスが巡ってきました。放映は一瞬でしたが、それをきっかけにウェブ上で情報の拡散が始まり、目新しい物好きのサウナ愛好家たちの注目を集めだします。

当初の直感どおり、自然豊かで開放的なキャンプサイトでの「テントサウナ×滝壺水風呂」は大好評。関西圏や名古屋から、さらには東京からも、ここでしか体験できないサ滝を目指した来訪者が目立つようになってきたのです。閑散期の利用客も目に見えて増加し、サウナテントも年々追加する必要が出てくるほどでした。

都会の施設サウナでは、通常男女の浴室が分かれており、子どものサウナ入室を禁止するところも少なくありません。いっぽう、週末に家族揃ってサウナを楽しむ風景が当たり前に見られるのは、キャンプ場に設営されたテントサウナならではといえるでしょう。嬉しいことに、昨今はサウナが好きな遠方客だけでなく、地元の人たちも身近な滝の新しい遊び方に興味を抱き、以前より気軽に遊びに来てくれるようになったといいます。

また、サウナ稼働中はスタッフがそばに常駐していますが、いまのところとくに厳しいルールや制約を設けずとも、個々人が安全に留意しながら事故なく楽しむ気風が保てているというのも、興味深い点です。元来サウナあるいはアウトドア慣れしている利用客が多いというのも一因でしょうか。

前著でも取り上げましたが、フィンランドの公衆サウナと日本の入浴施設の大きな相違点のひとつが、注意書きの貼り紙の量です。日本の施設の場合、トラブルを未然に防ぐために施設側がたくさん禁止事項を書き並べて、利用客の振る舞いをがんじがらめにしてしまう傾向があります。

いっぽうフィンランドの公衆サウナにおいては、ルールや禁止事項を細かに規定する注意書きはほとんど見られません。人はサウナにリラックスしに来ているのだから、できるだけその自由を阻害せず、客の良心と自己管理の能力に場を委ねたいという店舗側の思いや信頼感があってのことです。

一歩間違えれば事故を起こす危険もはらんだサウナという場で、それでも秩序が保たれている理由は、もちろんフィンランド人がサウナ慣れしているからというのもあります。ですが、利用客が自らの頭で状況を判断し、自身のふるまいを能動的にコントロールする能力が高いのも事実です。この力は、外部からの忠言に身を委ねているうちは、どうしても育ちにくいものなのです。

飛雪の滝キャンプ場でも、薪焚きストーブを使用し、日々コンディションの変わる自然の滝を相手にする点で、通常のサウナ施設以上にリスクをはらんでいます。一度何かが起こってしまえばこのユニークな事業の存続にも響くでしょうから、慎重を期さなければならないでしょう。その反面どのように、いまある利用客自身のモラルや判断を尊重しながらおおらかで心地良い運営を続けてゆけるか、今後も注目したいところです。

●テントサウナという異国のレジャーとの出会いを希少な文化交流の糸口にも

さらにキャンプ場では、別の地域おこし協力隊員の発案で、これまで何度かフィンランドにまつわるイベントやセミナーも開催しています。利用客や地元の人たちに、テントサウナの生まれた国の文化についても併せて理解を深めてもらいたい、という趣旨によるものです。実は筆者もこれまで二度ゲスト講師として招かれており、２０２０年の冬には、地元の小学生たちと一緒にフィンランドのお菓子を焼いて、現地流クリスマス会を楽しみました。

日本の都市部であればフィンランド関連の展示会や飲食店、ショップも多く、北欧の文化や情報に触れる機会はいくらでもあります。けれど地方の自治体となれば、学校の授業以外では見聞きせずじまいの無縁の国である人が大半だといいます。

郷土の自然資源を活用した新レジャーの定着だけでなく、国際文化交流のきっかけまでをもたらしたテントサウナの功名は、この小さなまちにとって計り知れなかったのではないでしょうか。

広々としたテント内部　テントサウナには、ファミリー用から大人数で楽しめる規模までさまざまなサイズや形状がある

大自然と一体化　夏以外の季節でも躊躇なく滝壺に飛び込めるのはサウナのおかげ

●自然に最接近し、一体化した心地になれるのが フィンランド由来のサウナの真髄

このように、何かとフィンランドとの縁を感じる飛雪の滝キャンプ場のテントサウナ体験。実はまったく別の形で、この地がまるでフィンランドへ通じているようだと筆者が感激した個人的なエピソードがあるので、最後に紹介させてください。

先に述べたイベント講師業を終えて、佐竹に夜のテントサウナへ招かれたときのことです。暗がりのなかでパチパチと音を立てて燃えるストーブの赤い炎を見つめながら、柔らかなロウリュを堪能し、体が火照ってきたところでいざ滝壺へ。轟音を立てる瀑布のほぼ真下まで泳いでいって、そこでぷかりと仰向けに浮かび、薄目でおそるおそる漆黒の空を見渡しました。

当たれば痛いのではと恐れていた水飛沫は、遠目に眺めているときのイメージよりはずっと繊細で軽やかです。天から末広がりの白いヴェールを形成し、風にはためくような動きを織り交ぜながら、止めどなく星空から降り注ぐ滝水の姿。それは、冬のフィンランドでしばしば遭遇できる、空一面にブレイクアップ（爆発）したオーロラの姿に驚くほどそっくりでした。

この既視感ある奇跡的な景色に出会えたのも、普段なら遠くから愛でているだけの崇高な大自然に、サウナ体験を通じて最接近できたからこそでしょう。古来フィンランドや周辺諸国においてサウナは、人間が火・水・空気というシンプルな自然の

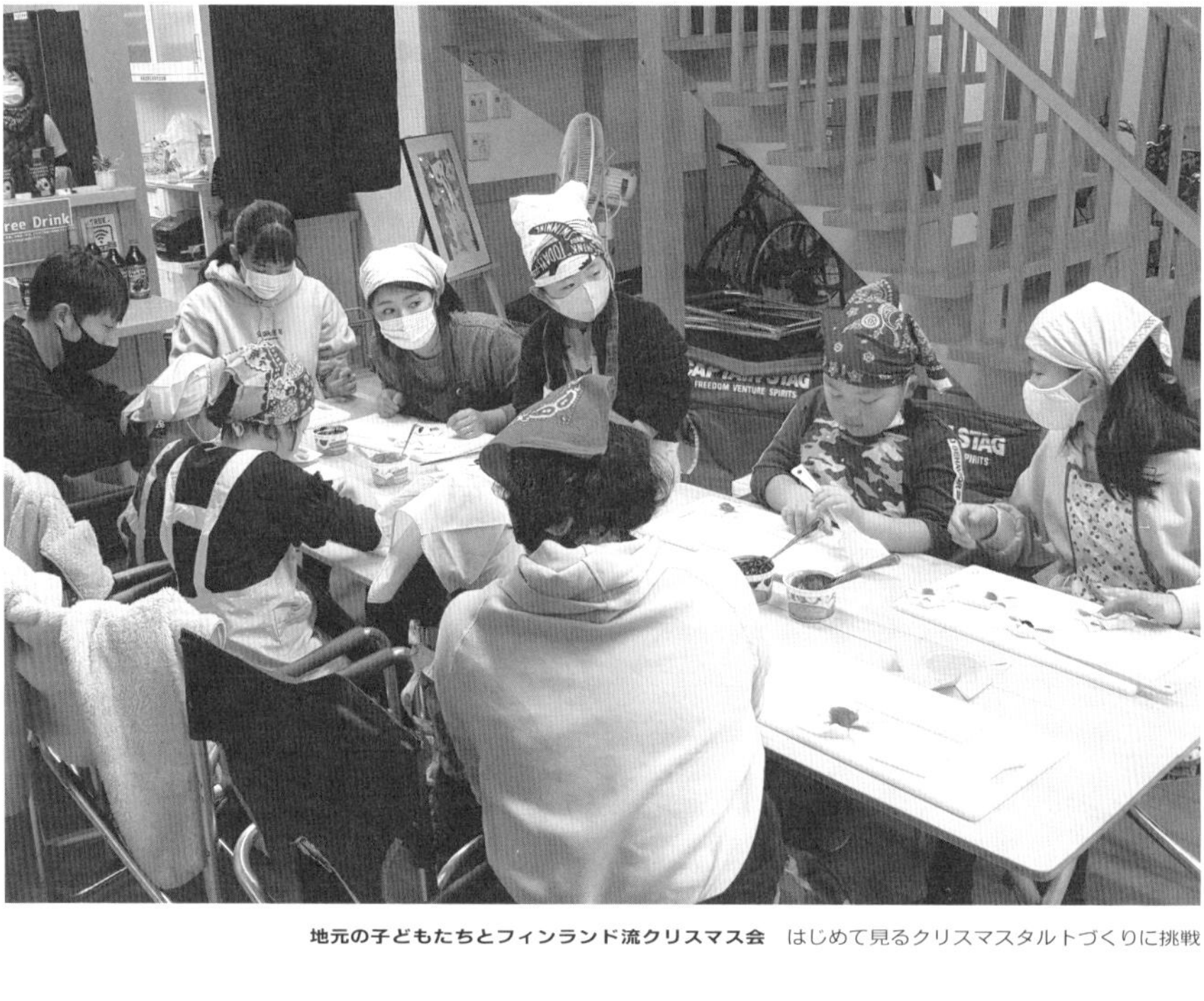

地元の子どもたちとフィンランド流クリスマス会　はじめて見るクリスマスタルトづくりに挑戦

元素を用いて身体をあたため、自然世界と繋がり、そこから多大なエネルギーをもらう……という自然信仰に通ずる精神性を宿す場所です。こうしたサウナ本来の醍醐味を追体験できるのは、やはり都会を飛び出したところにあるサウナならではないでしょうか。

佐竹はすでに地域おこし協力隊の任期を終えてキャンプ場を離れましたが、いまも紀宝町に残り、自然体験ガイドの新規ビジネスを立ち上げて、引き続きまちの観光産業に携わっていきます。いっぽう飛雪の滝キャンプ場は、指定管理者制度によって2021年から民間企業に運営が委託されました。テントサウナの貸出し事業は、いまもこのキャンプ場の目玉サービスとして受け継がれています。以前は県内の別のまちから調達していた薪木も、最近は町民から提供を受けて、より「地産地消」が進んでいるそうです。

国を隔てて数奇な出会いを果たした、フィンランド生まれのテントサウナと紀宝町の飛雪の滝。きっと今後も名タッグを組んで、ますます多くの人たちをまちに呼び込み、唯一無二の忘れがたい自然体験を差し出してくれるはずです。

夜の滝　白い飛沫が暗闇に映え、オーロラのように見える

File_6

人と自然と村の暮らしを紡ぎ合わせるログ造りサウナ

ume,sauna（奈良県山辺郡山添村）

奈良県山辺郡山添村は、三重県との県境の山間地域に横たわる、人口わずか3000人あまりの小さな村です。距離でいえば、奈良市街から東へたった30キロメートルの場所。けれどそこは、盆地に開けた古都の賑わいとは無縁の標高600メートルの山林地帯で、年々ゆるやかに過疎化が進み、村民の過半数が60歳以上の高齢者だといいます。「山に寄り添う」という名のとおり、不便さや危険も伴う山々とともに生涯暮らしてゆくことを覚悟した人びとが、古くから農業や林業を生業としながら静かに守り続けてきた村なのでしょう。

坂をのぼった先の村有数の眺めの良い山際に、1日3組限定で宿泊客を迎える1軒のホテルがあります。都会での会社員務めを辞めて実家のある奈良に戻ってきたひとりの女性が、築百年超えの旧村長邸宅を譲り受けて改築し、2020年春にオープンさせたume,yamazoeです。

東向きに開けた雄大な山並みの眺望と、頑丈で風格ある日本家屋の面構えを活かした母屋。各部屋には、日本文化に馴染みのない人でも快適に過ごせる西洋のしつらえも取り入れてあり、情緒的で品格のある宿泊体験が話題を呼んでいます。客層としては若いカップルや夫婦、家族連れが多く、開業まもなく深刻化したコロナ禍においても、人里離れた大自然のなかにこもって静かにひと息つける環境が幸いして、国内客の予約は途絶えませんでした。

ホテルの業態はオーベルジュにも近く、昼頃になると、その日地元の畑で採れた瑞々しい野菜を、スタッフの村民が嬉しそうにどっさり抱えて到着します。キッチンに集まってきた食材を見渡して、シェフはその日の晩ごはんの準備にかかります。ご飯やお酒をいただく食堂があるのは、日本の伝統家屋を象徴する土間の吹き抜け空間。宿泊客だけでなく地元の人たちにも土足で気軽に足を運んでもらえるよう、入口から一続きになっている、昔ながらの開放的なコミュニティスペースです。

そして母屋横手の、すぐ背後に鬱蒼とした森の迫る小さな庭には、和風旅館と聞いて想起される露天風呂の代わりに、ログ

薪ストーブへの火入れ　オーナーの梅守は、薪木を謙虚に使い続けるため過度な追い焚きをしないと決めている

造りのサウナ小屋が1軒佇んでいます。しかもその外観は、木造とはいえフラットな屋根のモダンな意匠。ところがこれが不思議と、日本の山林風景の一部として溶け込んでいるのです。

●別世界に暮らす地元住民と旅人が出会い交流するきっかけとなるホテル経営を目指して

ume,yamazoe のオーナー**梅守志歩**さんは、経営責任者でありながら、女将としても常に現場で接客をこなします。宿泊客数こそ絞られていますが、個人経営の小さな民宿とは規模も投資額も比較にならない、格調ある旅館です。それでも彼女は、「自らの手で理想を少しずつ形にしたい」という一心で、少数のスタッフと、長年の知恵とスキルをもった村民たちの助けやアドバイスを借りながら、献身的に現場で試行錯誤しています。

いうなればこのホテルは、ひとりのオーナーの頭から湧き出るアイデアが、彼女自身の体験や肌感覚を通して調律されながら形となり、村に流れる時間のスピードとともにゆったり熟成や代謝を続けている、〈梅守色の理想郷〉です。そして、その営みの軸として彼女が大切にしているのが、「人と自然と村の暮らしを互いに結びつける場づくり」であるといいます。

実家は奈良県内にあるものの、梅守は山添村に直接の由縁をもちません。寿司の製造販売会社を営む両親が、商品に用いるわさび葉をこの村から仕入れていたことが、唯一の接点でした。

そんな彼女が、悠久の自然に恵まれながらも過疎化や高齢化に歯止めのきかない山添村へと、観光産業を通じた貢献を志してやって来たのは、２０１６年のことです。

ところが、地元の人たちの初期反応は、必ずしも好意的ではありませんでした。良かれと思って提案した、村の暮らしや産業とリンクした小さなホテルの建設計画に、平穏な暮らしへの脅威を危惧した高齢者からの、反対の声が強く上がったのです。

梅守は、プロジェクトを始める以前にトータル3年もこの村に自ら住まい、村人たちと日々丁寧にコミュニケーションをとってきました。信頼を深めながら、手紙や集会などあらゆる手段で彼らの理解を得ようと努めたといいます。その甲斐あって心強い賛同者は増えたものの、村の誰もが納得してくれたわけではありませんでした。ですが、あとは形になってから少しずつ、現場を見て意思を汲み取ってもらえたら、と思い直し、２０１９年に古民家の改築に踏み切ったのでした。

梅守が観光産業と無縁だった村でホテル経営を始めるにあたり、理想とした既存のまちづくりのプロジェクトがありました。それは、石川県にある **share金沢**という社会福祉法人主導の住宅エリアで、高齢者の介護施設、障がい・自閉などの所見をもつ児童の入所施設や支援センター、そして近隣の美大生向けのアトリエ付き住宅が混在するように意図して建てられています。つまり、学校教育の現場でしばしば取り入れられる「インクルーシブ（あらゆる人の共生）」の考え方をまち全体に広げた試みです。

また、区画内には住人たちが主体となって運営するレストランやイベント会場、集会所などの公共施設も充実しています。まさに若くて才能ある住民となにかしら生活に困難を抱えた住民とが分け隔てなく交わり、支え合いながら、ともに楽しく生きがいをもって生活してゆくための実験的な住宅街です。

いっぽう山添村において、住民の大半を占める高齢者たちと、梅守のような若き移住者、そして県外あるいは国外からこのホテルを訪ねてくる旅人たちも皆、想像以上に考え方や生活環境の違いが際立つ異邦人のような存在です。

もちろん、彼らは互いに交わらずとも、それぞれの旅も暮らしも成立するでしょう。けれど、目立った観光資源も娯楽もないこの村だからこそ、村民と村の訪問者が分け隔てなく気軽に交われる交流拠点があれば、それぞれに新しい楽しみを見つけたり、思いがけない刺激を受けあったりして、旅や人生がより豊かになる可能性を秘めています。そのためのプラットフォームづくりが、梅守がume,yamazoeの経営を通して実現したいことのひとつなのです。

(右上)村人たちとの記念写真　ホテルの創業時に関係者や地元の皆さんと撮った思い出の1枚
(右下)村人との交流の日々　近所のおじいちゃんが庭の手入れなどを手伝いに来てくれる
(左)[ume,yamazoe]ロゴ　丸（有機物）と波（無機物）が交わる、調和への思いを託したデザイン

(上)[ume,yamazoe]母屋外観　風格ある元村長の住まいを譲り受けて内部を改装した　**(右中)キッチンカウンター**　土間を改装してあり、訪問者同士のコミュニティスペースとしても使える　**(右下)地の食材たち**　村で調達した野菜などから日々の献立を考える　**(左下)宿泊部屋**　伝統的な日本家屋と西洋の家具が絶妙に調和した寝室

山の中腹から見上げたホテル　村のもっとも高地の山際にそびえ立っている

●多くの熟達者の力を借りて完成した伝統とモダンが融合するDIYサウナ小屋

ところでshare金沢では、住宅街のなかにつくられた温泉施設（住民は無料で利用可）が、インクルーシブなコミュニティづくりに、とりわけ重要な役割を果たしているといいます。昔ながらの銭湯がそうであったように、公衆浴場は近隣住民同士の生存確認が自然と行なわれる場です。しかも、誰もが身も心も裸になり、互いのバックグラウンドを気にせずに一緒に心地良くなれて、自然と会話が弾む場でもあります。さらにこの浴場施設では、運営にもエリアに暮らす障がい者らが健常者の助けを借りながら携わり、健全な雇用が生まれています。

梅守は当初、まさにそんな開かれた公衆浴場を自身のホテルにもつくれないだろうかと画策しました。とはいえ、山添町に温泉は沸かないので、ゼロからの浴場経営自体は容易ではありません。代替案を考えあぐねていた折、突然友人からサウナをつくってはどうかと提案を受けます。確かにサウナであれば、温泉を引く必要もないので場所を選びません。

実は梅守自身それまでサウナに入った経験はほとんどなかったため、巷のサウナブームにもサウナ浴の有効性にも、はじめはピンときていなかったようです。ところが調べていくうちに、フィンランドではサウナが自然世界や人の生死と結びついた神聖な場所で、しかも人びとにとっての大事なコミュニティの場

サウナ建設の様子　専門家や村人の力を借りて建てたDIYサウナ小屋

所でもあると知り、にわかに親近感が生まれました。

また実現に向けた強力なサポーターとして、国内各地でフィンランド式サウナの建造を次々プロデュースして近年注目を集める**野田クラクションベベー**さんが、ume,yamazoeのサウナ建設プロジェクトに興味をもち、全面的に率いてくれることになったのです。混迷するコロナ情勢が世間が不安を募らせていた2020年春、計画は動き出しました。

サウナ小屋の設計は、木材を活かした家具や住宅のデザインを得意とする**ようび建築設計室**が担当。黒く着色した130本もの杉の角材をログハウスのように組み上げて、屋上を活用できるフラットな屋根で空間を閉じる、シンプルなボックス型のサウナ小屋の建造が始まりました。材木の製材や着色、組み上げには地元の職人たちも力を貸し、梅守自身も日々の建造作業を手伝いました。内壁は、熱や湿度による色落ちを防ぐため、奈良の伝統工芸品でもある墨汁で仕上げを施してあります。

水風呂には、隣の滋賀県の名産品、信楽焼の美しい巨大釜を採用しました。また、かつてこの場にあった蔵の解体中に梅守が足場に上ったとき、そこから見渡す村の風景がとても印象的だったことから、外気浴スペースも屋上に設けることに決めました。こうして完成した土着色の強いDIYサウナ**ume,sauna**が、経年変化を待たずとも山添の山里風景によく馴染んでいる印象を受けるのは、なにも不思議なことではなかったのです。

●村の自然や山守への感謝のこころを忘れない 謙虚なサウナ浴の場であるために

サウナ浴の間は、もちろん利用者自身がロウリュをして自由に楽しめばよいのですが、ひとつだけume,sauna独自のルールが存在します。それは、追加の薪入れ作業は勝手に行なわず、本数やタイミングをスタッフに委ねる、ということです。

梅守も、「日本の愛好家は熱くて蒸気がパワフルなサウナが好み」であることは当初からもちろん知っていました。けれど日本有数の林業が活発な奈良県に生まれ育ったひとりとして、長い年月をかけて木を育て、伐り出し、運んでくれた多くの人たちのカロリーが詰まった薪を、サウナ浴という余暇のために大量消費することには、どうしてもためらいがありました。だから、30分に一度だけストーブに最小限の薪を入れる、というサイクルに留めることで、郷土の自然とそれを守り育ててきた人びとへの敬意を払うと決めたのです。

結果として、ume,saunaは都会のサウナのような「熱々で刺激的な」サウナを期待する人には、いささか物足りなさを感じる温度であることは否めません。ですが、そのオーナーの想いを汲んだうえで、スモークサウナのように真っ暗な空間に腰かけ、ログ材の隙間や換気口から滑り込む光の筋や、穏やかにゆらめく炎を見つめながら、ume,saunaでしか味わえない柔らかで控えめなロウリュに身を委ねてみてください。「もったいな

薪ストーブのロウリュ　立ち上る蒸気が繊細で柔らかい

信楽焼の水風呂　美術品のなかで清水を浴びられるという贅沢

森林外気浴　周囲の森からそよぐ風が心地良い

サウナ屋上からの眺め　サウナ小屋の上からは村や前方の山並みが一望できる

い」の精神を常にこころに留めて節度をわきまえ、食事の前には手を合わせて目の前に並ぶ料理のつくり主である人と自然風土への感謝を「いただきます」の声に出す。——まさに日本人が日常生活の随所で大切にしてきた〈慎ましさ〉を、サウナを通して改めて思い出すことができるはずです。

無理をせず、ゆっくりと時間をかけて心身をあたためたあとで、伝統が生んだ美術品の釜の内で清らかな水に浸かる。そして屋上にのぼり、心拍をととのえながら、山添村の里山の息吹を五感で感じとる。これらの時間もまた、心地良さから来る多幸感と同時に、ほかのサウナでは己の感覚だけに集中しすぎてつい忘れがちな、日本の自然美や伝統美、そしてそれらを今日まで守り育ててきてくれた地域の人びとへの、敬意と感謝の念に満たされるひとときとなるでしょう。

あるいは、アフターコロナに増えるであろう外国人客も、このホテルやサウナでの体験を通して、日本人独自の自然観や、慎ましさにこめた敬意など、眼には映らない土着的なこころの在り方を、少なからず共有してくれるのではないでしょうか。

●目指すのは、観光資源であり村の自然と暮らしにも根ざすサウナ

いまのところサウナは、宿泊客が無料で利用できるのに加え、日帰り客の貸切り予約にも応じています。また、村人にも（大半の人にとってまったく馴染みのない）サウナにまず興味をもっ

[ume,sauna]外観　すでに風合いが周囲の自然景観に馴染んでいる

てもらう第一歩として一般開放日を設けてはいますが、まだまだ高齢の世代には敷居が高く、コロナ禍という情勢もあって入りに来てくれる人はほとんどいません。けれど、日中にふらりとホテルにやって来て、「ちょっとその珍しい〈風呂〉見せてよ」と興味を示す村民も、少しずつ増えてはいるようです。

当初村人が難色を示したホテルが少しずつ村に受け入れられてゆくにつれて、この異国の入浴文化もまた、外向きの観光資源としてだけでなく、村人たちの暮らしにも根づく可能性をゆっくり高めてゆくことでしょう。そしてume,saunaはいつしか、人と自然と村の暮らしを実質的にも精神的にも確かに紡ぎ合わせてくれる、梅守にとってのもっとも理想的なプラットフォームとなるはずです。まだまだ時間はかかるかもしれませんが、山添村のインクルーシブな未来は少しずつ近づいているような気がします。

薪サウナストーブ　暗がりで炎を眺め、いつもよりゆったり穏やかに発汗したい

［ウェルビー福岡］(p.62)休憩室

二章
蒸気浴文化の再発見とアップデート

現存最古の八瀬のかま風呂　温泉旅館の庭で保存される八瀬名物のかま風呂の遺構

1 知っておきたい日本サウナの進化史

ルーツは古代にまでさかのぼる「蒸気浴」

皆さんは、日本の伝統的な入浴法といえばお風呂、すなわちあたたかい湯に浸かる方法だと思い込んでいませんか？ 確かに、活火山を百以上も抱えたこの島国では地面を掘れば首都東京ですら温泉が湧きますし、現代の大半の家庭における入浴の場は、サウナより風呂でしょう。

ところが、湯に浸かる入浴法が「古来」日本人の日常に根ざしていたかといえば、答えは〝No〟です。入湯が温泉地以外でも一般化したのは、江戸時代中後期以降のこと。それ以前の主流は、サウナに通ずるいわゆる「蒸気浴」で、何百年もの過渡期を経て、徐々に浴槽にお湯を張るスタイルに入れ替わったのです。そもそも「風呂」という語句自体が、語源や用法の歴史をたどると、湯ではなくむしろ蒸気浴を象徴する単語だったことがわかります。

●語源を紐解くとわかる、風呂と蒸気浴の接点

今日有力視されている語源説によれば、「ふろ」という言葉の韻のルーツは「むろ(室)」にあるといいます。室とはすなわち、「自然の洞窟」あるいは「貯蔵庫や寝床などの閉鎖空間」のこと。つまり風呂は、お湯を貯める「浴槽」ではなく、蒸気や熱気を逃さないための「密室」を指す言葉として始まった、と推測されるのです。

さらに、少なくとも12世紀以降はふろという単語に「風」の文字が当てられるようになります(当初は風炉とも)。これは明らかに、湯ではなく蒸気をイメージさせる文字でしょう。このように風呂という言葉ひとつとっても、古来日本では蒸気浴のほうが主流な入浴法だった事実が浮かび上がってくるのです。

日本各地(とくに西日本)には、わたしたちの先祖が蒸気浴を実践していた証の遺構や記録が点在しています。それぞれの発祥年代やルーツの特定は難しいものの、形式や用途はさまざまで、時代ごとの社会や文化とも強く連関しています。そのすべては紹介できませんが、今日までその遺構や風習が受け継がれる事例から、興味深い代表例を三つ見てゆきましょう。

江戸時代のかま風呂の雰囲気　訪問客がくつろいだり使用人が焼け石に打ち水をする様子が垣間見える

●京の人びとが息抜きに立ち寄った蒸気浴集落

ひとつめは、京都市左京区の八瀬という山里地域で１３００年間受け継がれる「かま風呂」という入浴法です。石や土でできた巨大な窯状のシェルターにこもり、蒸気浴を行なうのです。

後世に書かれた歴史文献は、６７２年に勃発した壬申の乱で、流れ矢を背に受けた大海人皇子（のちの天武天皇）が八瀬にたどり着き、かま風呂で傷を癒やしたと伝えます。この記述を信じるならば、６００年代後半にはすでにこの地にかま風呂の文化があったことになりますが、八瀬はとりわけ江戸時代に、京都人や京を行き交う旅人たちの、気軽な慰安旅行先として人気を博しました。江戸後期には少なくとも７、８軒のかま風呂施設が集落内にあったそうです。

１７８０年刊行の、京都全域の観光名所や名産について絵と詩と短い解説で記した図鑑『都名所図会』の八瀬を紹介したページには、入浴者、入浴準備に勤しむ使用人、併設された休憩室で客がゴロンと寝そべり煙草を吸う姿が描かれています。まるで現代のスーパー銭湯のように都会人が息抜きに訪れ、しばし日常の雑事を忘れてリラックスしていたのでしょう。

かま風呂をあたためる仕組みは、『都名所図会』を見る限りではどうやら2パターンあったようです。元来の主流は、窯の内部で十時間かけて生木や青松葉を焚いてから灰を清掃して蓙《ござ》を敷き、最後に塩水をまいてから入浴者を迎える方法です。[注1] 内部の熱気と塩水が生む蒸気の効果で発汗が促進され、大海人皇子のように傷が癒えたり、健康にも良いと信じられてきたのです。

同類の方法は、西日本のほかの地域（とくに海水を直接まくのがたやすい沿岸部）でも古くから行なわれていた記録があり、人口窯だけでなく、例えば天然の岩洞窟でも試みられました。また、焼き窯を蒸気浴に利用する伝統は、朝鮮半島にもハンジュンマクの名で息づいています。つまり人びとの往来が活発だった古代、近隣国を経て根づいた可能性も大いにあります。

もうひとつが、たくさんの石を焚きつけ、水をかけて蒸気を発生させ、その上に竹製の簀子《すのこ》やむしろを敷いて腰を下ろす方法。[注1] 八瀬でこの方法も実践していたという文献は見当たらないのですが、『都名所図会』を見る限り、使用人が柄杓で焼け石に水を打って〈ロウリュ〉を発生させる様子が描かれています。

焼け石の上に水をまく方法も、例えば三重県や瀬戸内海沿岸で古来「石風呂」呼ばれた、伝統的な蒸気発生法のひとつです。その発想自体はまさにフィンランド式サウナと同じですが、フィンランド人のように蒸気の発生源から少し距離をとって間接的に浴びるのではなく、蒸気の真上に身を置く、より熱くて過酷そうな様式が昔から日本人の嗜好だったのでしょうか。

２０２１年現在、八瀬では**八瀬かまぶろ温泉 ふるさと**という旅館が唯一、かま風呂入浴の機会を提供しています。とはいえ、かま風呂の文化は戦前に一度途絶えてしまい、戦後に現オーナーの祖父が技術と様式に改良を加えて蘇らせました。今日使われるのは１９６０年代にできた浴室で、床下からボイラーで加熱し、塩水はまかず窯内の熱気と輻射熱で発汗するスタイル。また旅館の庭には、推定１８９５年にできた現存最古のかま風呂の遺構が、京都市の指定有形民族文化財として保存されています。

山口市［岸見の石風呂］　石室のなかで柴を燃やして石を焼き、蒸気浴を行なう。山口県には遺構が多数見られる

玉城町［宮古の石風呂］　推定室町以降、地元の神事で奉仕者がここで蒸気を浴びて身を清めた　提供：三重県教育委員会

●由緒ある禅寺に残る、厳格な修行用の蒸気浴室

二つめは、現京都市東山区に建立された京都最古の禅寺、**建仁寺**にある浴室です。建仁寺は臨済宗建仁寺派の大本山で、日本仏教における臨済宗の開祖、栄西が１２０２年に開山しました。純粋な禅道場となったのは１２５９年以降のことで、境内

に残る文化財建築の数々は、当時の禅宗の修行僧たちが、日々どういった生活や修行に勤しんでいたかを語り継いでいます。

境内に残る浴室建築は、２００２年に移築と大規模改修がなされましたが、建材の一部は、かつて「浴室修業の場」として使われた時代のものです。禅の修行道場では、禅堂、食堂そして浴室が、「三黙堂」（会話を禁じる場）とされます。禅堂での私語禁止は当然ですが、さらに食事と入浴中も言葉を発さずに修行に勤しまねばならなかったのです。

そもそもなぜ浴室が修行の場を担っていたかといえば、「社会生活のなかで他人に迷惑をかけない」ための躾や処世術を体得する場だったからだと、**浅野俊道**内務部長は説きます。僧として行事や勧進活動で人前に立つ以上、己の不潔さや節操ない行動（履物の脱ぎ散らかしや大声での私語など）によって、他人に不快な思いをさせるわけにはいかないのです。僧たちの入浴日は、カレンダーで４と９のつく日と決められていました。

切妻屋根の建物内に入ると、玄関左手に入浴の順番を待つ待機所があり、奥の質素な広間の中央に、両側に引き戸のついた無装飾の〈木造サウナ小部屋〉が佇んでいます。ほかの寺では同類の蒸気浴室を「からふろ」と呼んだりもしますが、本寺では呼び名はないそうです。

内部は４人座るのが精一杯なほどの狭さで、出入りにも腰をかがめる必要があります。窓や換気口も一切なく、戸口を閉めると真っ暗。床には簀子が張られ、床下で煮えたぎる湯の蒸気が簀子の隙間から狭い室内に充満する仕組みになっています。湯を焚きつけるための竈《かまど》は、壁を隔てた吹き抜けのバックヤードにあり、随時そこから薪や水を追加していました。

修行というのはもちろん、この狭く暗い、そしてとにかく熱い密室空間での座禅でした。線香が１本燃え尽きるまで（当時は30分近くかかったと想像される）、黙して灼熱の蒸気に身を晒し続けたのです。浅野は、「当時の修行僧にとっての入浴は、現代人のような癒やしや気晴らしの場ではなく、むしろ辛く苦しい時間だったはずだ」と、数百年前の浴室の意外な雰囲気に想いを馳せます。

［建仁寺］浴室外観　普段は非公開となっている

［建仁寺］の蒸気浴室　無装飾で質素なつくりの〈サウナ室〉

なお最後まで耐えた僧たちには、バックヤードの隅にある井戸から汲んだ冷水をザバッと被って汗を流すという、ちょっとした慰労の時間が待っていたそうです。熱に耐えきったあとに頭からかぶる冷水の心地良さは、時を隔てていまのサウナ愛好家のＤＮＡに残り続けている気がしてなりません。

ところで、蒸気浴室の外の床にはゆるい傾斜がかかっていて、僧がかけ流した冷水を排水口から集め、竈《かまど》の鍋に戻して再利用していたそうです。さらに室内の床も、簀子の下に溜まった水がふたたび湯鍋に流れるよう傾斜床が仕込んであり、徹底したエコ節水システムが機能していました。入湯ほど大量の水を必要とせず、効率よく節水もできる蒸気浴は、贅沢をしないという禅の思想にも適っていたのでしょう（とはいえ、他人の汗のアロマが混じった蒸気というのも敬遠したくなりますが……）。

そもそも、浴室を含めた仏教建築は、かつて日本の僧と宮大工が中国南部やインドに赴き、様式の詳細を視察して踏襲した歴史的経緯があります。水資源が豊富ではなかろうこれらの地域の古代仏教建築や習慣を調べれば、日本の寺院における蒸気浴の真のルーツが見つかるのかもしれませんね。

禅寺の浴室は、基本的には修行僧だけが使う場でした。ところが時代とともに寺が開かれた場になると、ほかの宗派の寺がすでに行なっていたように、当時まだ日常的な入浴の場がなかった民衆のためにも、浴室を開くようになりました。推定16世紀以降は、各地の寺院で浴室の貸切り制度が普及し、さらに街角に民間の共同浴場や営利目的の公衆浴場が生まれ始めます。

湯浴が一般化する以前に、公衆浴場内につくられた蒸気浴室や半蒸気浴室（板風呂、戸棚風呂など）には、明らかに寺院の蒸気浴室の形状や様式が影響を与え、大衆向けに改良された軌跡が見て取れます。さらに、関東大震災後の再建ラッシュ時に確立した、東京の銭湯特有の建築様式として知られる「宮造り」にも、仏閣を思わせるディテールが見られます。長い歴史のなかで入浴習慣がすっかり世俗化したとはいえ、日本人にとって浴室とはやはりいまもどこか尊い場であり、かつ「コミュニティで重視される身だしなみやマナーを身につける場所」であることの戒めが宿っているのかもしれません。この精神性は、「サウナは教会と同じく神聖な場である」という価値観を受け継ぐフィンランド人も、大いに共感する点でしょう。

●蘭学者が開発した、皮膚病治療用の蒸気浴装置

最後は、19世紀前半に医者が考案したユニークな形状の〈医療用サウナ〉を紹介します。１７４７年岐阜県に生まれた**江馬蘭斎**は、もとは漢方医として名を馳せていました。ところが早くに妻や長男を病気で失ったことで国内医学の限界を感じ、40代で蘭学医を志して**杉田玄白**らのもと勉学に励み始めます。

江馬が開業医として働きだした当初、人びとはまだ西洋医学

に不信感をもっていました。しかし彼の診断や処方薬によってさまざまな疾患が治癒したことで評判が広まり、遅咲きながら岐阜随一の高名な医師になったのです。江馬は、70歳になってもなお難病の研究や治癒法の考案に尽力しました。

当時、治療法がわからず民衆を苦しめていた感染症のひとつが梅毒でした。江馬は、その治療法の究明に没頭する過程で、『バルベッティ・アベリウス』という名の蘭書よりヒントを得て、前代未聞の、皮膚病治療機器としての蒸気浴装置を開発したのです。

梅毒研究で知られる**中西敦朗**皮膚科医が、1997年に江馬の梅毒治療の蒸気浴メソッドについて調査を試み、日本医史学会のジャーナル[注2]に報告書を載せています。それによると、残念ながら江馬が参考にしたという『バルベッティ・アベリウス』なる原書や、それを元に執筆された彼の著書は、すべて関東大震災で消失していたそうです。つまり、江馬が西洋医学界から具体的にどんなヒントを得て江戸時代に〈サウナづくり〉を遂げたのかは、いまとなってはもう誰にもわかりません。

構造に関しての中西の描写を引用すると、「酒樽の蓋をぬき、さかさに互いに組み立てた3段重ねの円柱状の湯槽となっている。一番下の樽が五右衛門釜の上にのる形になっており、そこから蒸気が立ちこもり上の樽へと上昇してゆく。中樽のところに患者が腰かけで坐れるようになっている。全体の高さは249センチ（…）」とあります。

なお蒸気を生む湯釜には、伊吹山で採れるヨモギなどの薬草が投入されたそうです。岐阜と滋賀を隔てる伊吹山は、この地域の医療や民間療法でも用いられた、何十種もの薬草の宝庫。つまりこの薬草蒸気浴の設備は、郷土医療と西洋医学を折衷させて生まれた、唯一無二の全身薬浴装置だったのです。

蒸気の温熱と薬草の両効能が合わさると、梅毒による化膿を防ぎ跡が残りにくくなる効果が得られたそうで[注3]、ほかにもリウマチ、神経痛、皮膚病、胃腸病にも効果があると人気を博しました。宿舎内に建てられた初代療養所では、江馬自らも患者を世話したといわれます。その後、彼の親戚が男女別の2基の装

伊吹山で採れる薬草　ヨモギや柿の葉などさまざまな薬草を煮出す

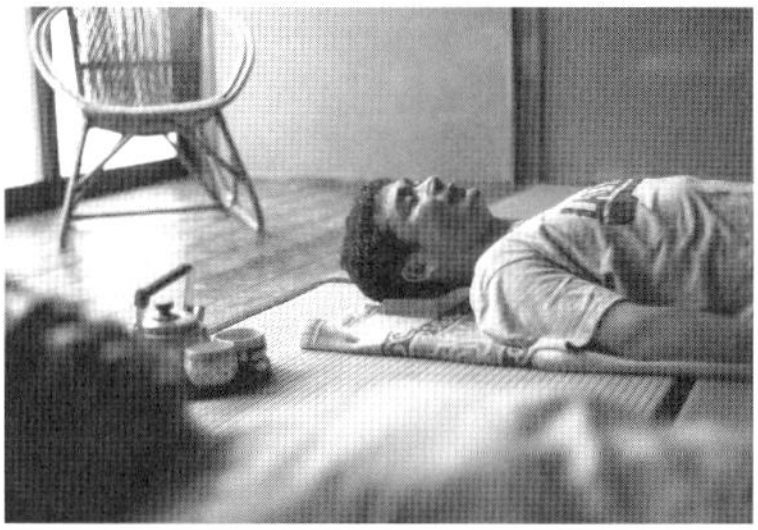

[田辺温熱保養所]の休憩室　畳の部屋でゆったりと体の火照りを落ち着かせる

[田辺温熱保養所]の蒸気浴装置　扉を開けると芳しい薬草の香りが立ちこめる

置を構えた療養施設の運営を引き継ぎました。同様の蒸気浴装置が伊吹山周辺の別のまちでいくつか稼働していた記録も残っています。

江馬の出生地、大垣市にある**田辺温熱保養所**では、このユニークな蒸気浴の効能や心地良さが追体験できます。１９４６年に現オーナーの祖父が装置を大型化し、地元の誇り高き発明品を医療用ではなく温熱保養用として現代へと受け継いだのです。インパクトある長身樽は、腐食しにくいことから木棺制作にも用いられるコウヤマキを使い、高度な職人技によって何十年も使用可能な耐久性を備えています。薬草には、伊吹山から採れる昔ながらの天然薬草に加えて、女将の**田辺恵**さんが庭で育てる西洋ハーブも使われています。

男女別の浴場には、３、４人がなんとか入る長身蒸気浴装置１基とシャワー、かけ湯用の浴槽があるのみ。滞在時間の制限はなく、利用客の多くは長居前提で軽食を持参し訪れます。ロケットのような浴室の小さな入口をまたいで戸を閉めたら、薬草の芳醇な香りをたっぷり含んだ蒸気が充満する漆黒の空間で、発汗と引き替えに汗腺から薬草成分を取り込みます。５分も居れば全身がぐっしょりと濡れて、体の芯までほかほかにあたたまります。

田辺温熱保養所での入浴過程にいわゆる水風呂は存在しません。ベンチでの小休憩と蒸気浴を数回繰り返したら一度着衣して、毛布が敷かれた畳張りの休憩室へと移動を促されます。「ここで寝転んで、心拍や火照った身体が平常を取り戻すまでゆっくり休んでください。そのゆるやかなクールダウンの間に、薬草が皮膚から体内へとゆっくり浸透してゆくんです」と、女将は客に番茶を差し出しながら説明します。あまりの心地良さに寝入る客もいれば、そこでお弁当を広げてピクニックのようにくつろぐ客もいて、現代的なサウナ施設とはひと味違ったおだやかな時間が流れています。それはまさに、日本人のいにしえの蒸気浴の愉楽から今日のサウナの愉楽への、渡り橋のようなひとときです。

では、江戸後期に一度途絶えた蒸気浴という入浴スタイルが「サウナ」と呼び名を変え、日本人の暮らしに舞い戻ってきたのには、一体どんなきっかけや時代背景があったのでしょうか。

１９６０年代に幕開けしたサウナ・ムーブメント

昭和の日本では、すでに「お湯に浸かる」入浴法が日常の一部となっていました。いっぽう戦前の入浴文化の研究者らの著書や論文を漁っていると、サウナという言葉がぽろっと出てきたり、「焼け石に水をかけて発生した蒸気を浴びるのが北欧諸国やロシア式の蒸気浴文化だ」と、ごく簡単に紹介されています。また、１９２８年アムステルダム五輪の走り高跳び競技で日本人初の金メダルを獲得した**織田幹雄**をはじめとする歴代の陸上選手らが、本場フィンランドのサウナを体験し感銘を受けた記録が存在することも、２０２１年に**草彅洋平**さんが自主出版した『日本サウナ史』のなかで明らかにされました。

ともあれ、サウナと名の付く入浴法が体験できる営業施設が日本に現れたのは戦後のことです。しかもその契機になったのは東京五輪——もちろんつい最近わたしたちがデジタルテレビで観たほうではなく、１９６４年の大会だったのだと、温浴業界内ではいまも語り継がれます(この伝え話の真相については、本節後のコラムを参照ください)。

第1号店は、１９５１年に東京銀座で創業した**東京温泉**という当時最新鋭のスパ施設です。〈サウナ〉が導入されたのは１９５７年のこと。実は、**許斐氏利**《このみうじとし》初代社長が射撃の代表選手として１９５６年のメルボルン五輪に出場した際、フィンランド人選手が愛用するサウナという名の蒸気浴法の噂を選手村で耳にし、帰国後すぐに施設へと採択したのです。ただし許斐自身が現地で本物のサウナを体験したわけではなかったようで、東京温泉の〈サウナ〉も、室内に蒸気管を張り巡らして部屋を熱し[注4]、「熱々の空間」という要素だけを再現したものでした。

●日本サウナの先駆施設と、水風呂が日本に定着した意外な理由

東京五輪の翌々年の１９６６年、国内初のフィンランド式サウナ、つまり焼け石に水を打って蒸気を発生させるタイプのサウナ室を有する**スカンジナビアクラブ**という入浴施設が東京渋谷に誕生しました。このときストーブの輸出と浴場の設計を担当したのが、フィンランドの**メトス株式会社**（**Metos Oy**）です。

現在は業務用キッチン用品の国内トップメーカーであるフィンランド・メトス社は、１９３８年に世界初の電気サウナストーブを開発した企業で、１９８０年代までサウナ事業を手掛けていました。当時、スカンジナビアクラブへのストーブ導入を担当した輸入商事の**中山産業株式会社**は、このときのメトス製ストーブの輸入事業をきっかけに、希少なサウナ施工事業に特化してゆきます。その舵をきった**富安商儀**《とみやすあきよし》初代社長は、初のフィンランド・サウナ協会日本人会員として、フィンランドにもその名を刻んでいます。

中山産業は、２００６年には40年間ストーブの商標として使用していた〝ＭＥＴＯＳ〟を商号に変え、会社名を**株式会社メトス**へと改めました。電気ストーブの開発という歴史的偉業でフィンランド・サウナ文化の近代化を進めた現地企業の名称と精神は、このような興味深い交流史を経て、いまも日本のサウナ史に脈々と息づいているのです。

スカンジナビアクラブをはじめ、１９６０年代に都市部へ現れたサウナ施設のほとんどは、男性専用施設でした。というのも、経済成長期真っ只中の当時は、男性が外で働き女性が家を守るのがまだ当たり前で、夜遅くまでオフィスで働く男性を癒やすための場として、サウナ施設が迎合されたからです。ただし、当時のサウナ施設利用料はいまから考えると驚くほど高く、スカンジナビアクラブの入浴料が1回あたり約１３００円。[注5]これを現在の物価に換算すると、なんと約９８００円に相当するのだとか！　当初のサウナが、男性サラリーマンのなかでも高給を得ている紳士の嗜みの場であったことが想像できます。

また、スカンジナビアクラブのサウナ室の隣には、今日の日本サウナの象徴ともいえる水風呂がすでにあった[注5]といいます。施設のサウナ室および浴場全体の図面を担当したのはメトス社のフィンランド人社員でした。なのになぜ、ご当地のサウナではほとんど見ない〈水風呂〉が設計されたのでしょうか。

フィンランド・メトス社の広報部に問い合わせたところ、残念ながら当時の設計業務に携わった人物とはもう連絡がつか

ず、図面資料も発見されませんでした。ところが調査を進めるうちにわかったのは、1950年代にヘルシンキ市が、人口が急増する都市部の公衆衛生や福利厚生を守る新たな場として、集合住宅の共同サウナに加え、従来の公衆サウナと水泳プールを組み合わせた拡張施設の建設を推奨した期間があったということです。事実1950年代には、ヘルシンキ市やタンペレ市で「プール付き公衆サウナ（あるいは公衆サウナ付きプール？・）」の新設がにわかに流行った[注6]という記録も見つかりました。

　これは筆者の推測に過ぎませんが、スカンジナビアクラブの設計者は当時の新潮流を踏襲し、日本の浴場の図面にも最小限の「プール」を書き込んだのではないでしょうか。まさか、それがのちに日本のサウナに極めて重要な独自性を与えるきっかけになるとは、設計者も思いもしなかったでしょうが（笑）。

　また今日、日本のサウナ施設の多くの水風呂で使われているチラーが導入されたのも、サウナが普及し始めてすぐの1960年代後半だったそうです。[注5]日本の夏は暑く、しかも客が多いとすぐに水がぬるくなってしまうので、水の冷却は急務の課題だったのでしょう。このように、日本の水風呂カルチャーは本場のサウナとともに偶然到来し、独自に進化しながら今日まで受け継がれてきたものだったのですね。

日本サウナ新聞
第一勧業銀行
サウナは生活の一部
精神的くつろぎと快楽
日本サウナ新聞創刊に寄せて
安全で健康なサウナへ
防災情報の伝達を
創刊のごあいさつ
日本サウナ新聞社
SEGA 人手のいらない稼ぎ手！
セガの室内ゲーム機とジュークボックス
セガ・エンタープライゼス

『日本サウナ新聞』第1号の1面　1972年7月20日発行　所蔵：日本サウナ・スパ協会

●施設と愛好家の熱量は、いまも昔も変わらない

　スカンジナビアクラブの開業後まもなく、日本の各都市部にフィンランド式のサウナ室を持つ施設が一気に増えました。翌1967年には近代建築雑誌が全国50近くのサウナ施設をリスト化して紹介しており、さらに5年後の1972年の記録では、すでに全国に4000[注7]を超えるサウナ保有施設があったというのです。

　流行当初のサウナ施設は、4、5人用の小規模なサウナが多く、オフィスビルの一角を利用した小さな店舗が主流でした。ところが徐々に規模が拡張し、サウナ室内の構造や熱源も多様化します（当初は当たり前だったセルフロウリュもいつしか安全面から禁止されるように……）。さらに滞在時間や客単価を上げるため、食堂が併設されたり、垢すりや理髪オプションが加えられたりと、施設の規模やサービスも急速に進化してゆきます。とりわけ、社交的で商売気質が強いといわれる関西では、洗体サービスやヘアセット、靴の手入れ、入浴中の額の汗拭きまで、過剰なほどに行き届いたスタッフサービスが目立ったのだそう。また、男性専用サウナ施設といえばの「カプセルホテル」は、いまも営業を続ける大阪の**ニュージャパン梅田**が1979年にはじめて導入し、一気に全国へ広まりました。

サウナ店舗とそこに通う愛好家たちの絶対数が増えてくると、トルコ風呂を反面教師に、業界の風俗化を懸念する声も上がるようになりました。そこで、サウナ業界全体の健全な発展のために、志を同じくした者同士の結束や情報交換のためのプラットフォームが必要とされ始めます。もちろん当時は、現代のようにSNSで気軽に他人と繋がれる時代ではありません。そこで1969年に発足したのが「日本サウナ党」という友好団体でした。党には、「サウナを愛し、フィンランドとの友好を深める目的の同志」であれば誰でも参加でき、タレントや衆議院議員、中山産業社長といった著名人が理事を担っていました。さらに1970年代に入ると、日本サウナ党の支部局にあたるサウナ協会が次々に各県に設立し、全国的なネットワークが強固になります。日本サウナ党は、その後何度か名称を変えながらも活発に活動を続け、現在の**公益社団法人日本サウナ・スパ協会**へと行き着くのです。

日本サウナ党（や改名後の各団体）は、1971年以降『サウナジャーナル』という会報誌（誌名はたびたび変更）を刊行し続けました。このアーカイブからは、時代ごとのサウナを取り巻く状況や、サウナ愛好家たちの熱意がありありと伝わってきて、感慨を覚えます。「今日はここのサウナに入ってきました！」「いまのブームを絶やさないためには？」などなど、まさに現代のサウナ愛好家たちがTwitterでつぶやいているのと変わらないトピックのオンパレードなのです。

筆者が個人的にとくに胸が熱くなるのは、まだインターネットもなければ、ロシア上空を回避しないと北欧にたどりも着けなかった1970〜80年代に、当時のサウナ愛好家や施設経営者らが、いかにフィンランドという国に敬意や愛着を寄せ、国際交流に励んでいたかが伝わるコラムの数々です。党内ではフィンランドを中心としたヨーロッパ方面へのサウナ視察が定期的に開催され、さらに個人旅行（サ旅？）でフィンランドを訪れていた人もいたようです。ある旅人は、フィンランド人がサウナ内で恥部をタオルで隠していないことや、日本の喫茶店のように賑やかな社交場であることに驚いたと綴っています。もちろん、本場のアイススイミング体験を武勇伝のように語っている人もいましたよ（笑）。

このように、いまよりもずっと不便だった時代に、海の向こ

1977年当時の入浴法啓発イラスト抜粋　日本サウナ協会連合会機関紙に掲載。現代よりかなり行程が細かい
所蔵：日本サウナ・スパ協会

うの入浴習慣を見事に根づかせ、〈サウナ文明開化〉を成し遂げた先駆者たちのエネルギーや行動力は、サウナ業界をもっと盛り上げたいと願う現代のわたしたちにも活力をくれます。同時に、「いつの時代も施設と愛好家の熱量は変わらないんだなあ」と、ほっこりした気持ちにさせられるのです。

このあと、オイルショックやバブル崩壊という世界的な暗黒時代を迎え、サウナ業界自体も一度は推進力を失います。そのため、当時を〈第1次サウナブーム〉、いまを〈第2次サウナブーム〉と呼んだりもします。ですが、業界の誰もが「日本のサウナ史の生き字引」と認める日本サウナ・スパ協会の**中山眞喜男**技術顧問は、「サウナ施設の営業店は確かに一度減ったが、ジムやプール併設のサウナ、家庭用サウナなど新形態のサウナを含めると軒数自体は減っていないし、愛好家の数はむしろずっと増え続けて、いまに至っている」[注5]と強調しています。つまり、1960年代の日本サウナ黎明期からわたしたちがブームを実感している現代まで、大波はひとつに繋がっているのです。

とはいえ、2010年代以降のサウナ業界では、明らかにそれ以前には見られなかった新現象もたくさん生まれました。次節では、「サウナの産業化」という観点から、現代のサウナブームならではの特色を浮き彫りにしてゆきたいと思います。

1964年東京五輪：フィンランド・サウナ邂逅ミステリー

サウナ、すなわち「焼け石に水を打って蒸気を浴びる」入浴法がフィンランド発祥かどうかは、正直誰にもわかりません。ロシアやバルト三国など多くの国や地域でも、太古の昔から、呼び名は違えどほぼ同類の蒸気浴法が根づいているからです。にもかかわらず、フィンランド語のsaunaだけが世界中に浸透しているのにはいくつか理由があります。そのひとつが、歴代の五輪選手村に、選手用の浴室として「サウナ」が建設されてきたことです。有名なのは、1936年ヒトラー政権のもとで強行されたベルリン大会で、フィンランド人選手の要望（という名目の枢軸同盟国の友好の証）で人工湖畔につくられた、立派なログ造りサウナです。あるいは1948年ロンドン大会でフィンランド人が現地大工の協力を得て建てたサウナ小屋は、現存最古の五輪選手村サウナとして、いまも会場跡地に残されています。[注8]

　1964年の東京大会に関しても、「フィンランド人選手がオリンピック選手村に建てた仮設サウナが、日本人たちを驚かせ、サウナ建設ブームのきっかけをつくったのだ」という美談を、温浴業界関係者がしばしば口にします。確かに東京以前の大会では、フィンランド選手団が要望を出したり、自ら施工会社を派遣して実現したサウナもありました。ところが東京大会の選手村サウナは、集めうる情報から判断する限り、事情は少し違いそうなのです。

　国際オリンピック委員会（ＩＯＣ）発行の東京五輪の公式ハンドブックに目を通すと、代々木に建設された選手村には共同浴場がいくつかあり、男性側には一度に50名が入れるスチームバス（体重コントロールが必要なウェイトリフティング選手専用）と1、2面の浴槽をもつ三つの浴室、そして全選手用の小さな「サウナ」。女性側には8名用のスチームバス室と日本式の浴室を設置[注9]、と書かれています。添付地図によれば、「サウナ」だけはほかの浴室からは離れたオリンピック劇場のそばに建てられていたようです。

　実は、英語表記されたハンドブックでは、「スチームバス」も呼称としてはsaunaと表記されています。このことからも、そもそも東京大会の会場に、フィンランド式（ロウリュ式）サウナを別途つくる意図はなかったのではないかと推測されます。ところが結果的に、当初計画になかった小さなフィンランド式サウナが急遽増設されていたのです。

　このサウナが完成するまでの経緯については、読売新聞の1964年9月12日の朝刊に、詳しいエピソードが見つかりました。会場建設が進んでいた同年4月にフィンランド・オリンピック委員会の会長が訪日し、選手村予定地を視察したところ、サウナと名のつく浴室があまりに本場のものとは違うので、クレームを入れたというのです。さらに訪日グループのなかには**「カレリア電気会社**（Karjalan Sähkö Oy のことと思われる）」の社長もいて、本場の電気ストーブを寄贈したいと申し出たとあります。これをきっかけに組織委員会が浴場建設に追加予算百万円を計上し、設計図に急遽6、7人用のサウナとシャワー室を書き足したといいます。壁やベンチには、日本のヒノキ材が選ばれました。

大会直前のリハーサルの時期には**ピルヨ・アホカス**駐日大使が再度視察に訪れ、今度は故郷のサウナそっくりのできあがりだったので喜んだ、というのが記事に書かれた知られざるエピソードです。つまり東京大会では、選手団がつくったのではなく、委員会会長の一声で急遽増設されたというのが事実のようです。ともあれ、この珍事によって日本人がフィンランド式サウナやその工法に触れるきっかけを得たのは確かでしょう。

ただ不思議なことに、このサウナに関する写真は、先述した新聞記事に掲載されていたサウナベンチに座るアホカス大使の接写が唯一。サウナの外観、内観については日フィン双方のあらゆるアーカイブを当たりましたがまったく見当たりません。さらに、フィンランドで存命する当時の選手や関係者に聞きまわってみたのですが、選手村にあったサウナについて覚えている人が皆無なのです。日フィン間のサウナ史研究に携わる筆者にとって、このサウナの全貌はいまでも〈サウナ史ミステリー〉のひとつです。

1964年東京五輪のフィンランド人選手団　急遽つくられたフィンランド式サウナに入った選手もいたのだろうか
©Ulrich Kohls

2　ツーリズムからグッズ販売まで：産業としてのサウナの可能性

女性サウナマーケティングの盛り上がり

前節でも触れたように、1960年代以降の日本サウナ〈第1次ブーム〉は、明らかに男性主導のムーブメントでした。このため、都市部に残るサウナ施設はいまでも男性専用施設が目立ちます。いっぽう、2010年代以降のいわゆる〈第2次サウナブーム〉のひとつの特色として、「女性の愛好家の増加現象」を多くの関係者や古参のサウナ愛好家らが指摘します。

もちろん、2020年のコロナショックでほとんどすべての入浴施設が打撃を受けたので、入浴客の増減だけでそれを判断するのは難しいでしょう。けれど例えば、サウナ施設の検索サイト、**サウナイキタイ**の月ごとの新規登録者の女性ユーザー比率は、リリース当初の2017年11月時点では11・1％でしたが、2021年10月は29・1％となっています。

女性向けサウナ施設の紹介本やサウナ浴ハウツーコラムを多数執筆している文筆家・イラストレーターの**岩田リョウコ**さんは、「サウナイキタイが普及し、『マンガ　サ道』がテレビドラマ化した2018〜2019年が、明らかな転換期だった」と回想します。そのころから、入湯や岩盤浴が主流だった銭湯やスーパー銭湯でも目に見えて女性サウナの利用客が増え、世代も若年化したというのです。

とりわけ、ドラマ版「サ道」で実在施設の雰囲気が映像でリアルに紹介された効果が大きかった、というのが彼女の見解です。「サ道」は主要人物も全員男性で、シーズン1で取り上げられたのも男性サウナ施設が大半でした。ところがそれが女性たちにとってむしろ新鮮で、興味を掻き立てたのです。

銭湯やスーパー銭湯に付随した女性サウナ室（ニーズが少ない分、男性側より規模や設備のスペックを落としてある施設も多い）や、岩盤浴しか知らない女性たちにとって、男性サウナ室の設備や雰囲気は、元来まさに未知の世界でした。それが昨今の映像や情報を通して、自分たちの知っているサウナとはひと味もふた味も違ってすごく楽しそうではないか！　という事実に気づくきっかけとなったのです。

●応募殺到イベントと化したレディースデー

未踏の男性サウナの世界に対する、女性たちの憧れの高まり

サウナを楽しむ女性たち　女性が水着やハット着用でファッショナブルにサウナを楽しむ時代
提供：Sauna Camp.

を象徴するのが、男性専用サウナ施設が積極的に開催するようになった「レディースデー」イベントです。この日は一般男性客が入館できず、男性好みの温度設定のサウナ室や水風呂、さらには館内着、食堂、カプセルホテルまでを、終日女性が独占利用できるのです。

レディースデーは、２０１７年に東京笹塚の男性サウナ施設**天空のアジト マルシンスパ**で、実験的に開催されました。いまとなっては信じがたいですが、そのときはまだ、ほんの十数名しか参加がなかったといいます。ところがドラマで男性サウナの日常が白日の下に晒されてからは、毎回告知後まもなく３００名を超える事前応募が殺到し、抽選で選ばれし幸運の持ち主だけが参加できるプレミアイベントになったのです。

２０１９年に東京池袋にオープンした**サウナ&ホテル かるまる池袋**も、普段は男性専用ですがレディースデーを定期開催しています。かるまる池袋をプロデュースした温浴コンサルタントの**太田広**さん（業界では**サウナ王**の呼び名で有名なあの方です）は、「レディースデーへの参加は、女性にとって希少な体験の機会である上、自分へのご褒美と捉えている人が多いので、リラクゼーションや飲食、物販の売上が男性客に比べ著しく高くなる傾向がある」と話します。また、女性はＳＮＳへの投稿が男性よりマメで、情報拡散力が強いのも特徴だそうです。

「いまは女性も男性と同じスペックの設備やサービスのサウ

ナ体験を求めている」という新常識が生まれたことで、女性側の浴場にも男性側と遜色ないサウナ室をつくるべきだと予見し、改革に動く施設も出てきました。例えば東大阪市の老舗健康ランド**湯〜トピア**は、創業35年を迎えた２０２１年に女性側の大改装を英断。なんと一気に4室もの趣向の異なる本格サウナ室が稼働を始めたので、女性愛好家たちが歓喜に沸きました。

●女性特有の悩みを解決する細やかなサービス

女性特有の課題を克服して満足度や集客に繋げるための、ユニークな新規サービスも次々に生まれています。実は日本人女性にとっての外部入浴の一番のハードルは、「入浴後のメイクが大変」ということです。このため、少しでも顔の露出を減らして負担を緩和できるよう（コロナ禍以前から）女性客にマスクを配布したり、入浴後に施設所有の充実したメイク道具を自由に使える有料サービスも出てきました。

また、以前から垢すりやマッサージのサービスは人気ですが、最近はさらに、女性の関心が高い「温活（不調の原因となる冷えを予防し、体をあたためる習慣をつけること）」に着目したサービスを行なう施設もあります。**東京ドーム天然温泉 Spa LaQua**で開催されてきた温活キャンペーンでは、例えば、身体の保温に効果的な食材を使ったヘルシーフードと入浴券のセットサービスが注目されました。美容・健康と入浴習慣をマッチングさせた女性向けサービスは、今後もさらなる展開を見せてゆくでしょう。

●サウナをファッション化させる女性愛好家たち

もうひとつ、以前には見られなかった女性サウナ室内での新現象が、サウナハットや私物入浴グッズにこだわりを発揮する「サウナ浴のファッション化」だと、岩田は指摘しています。

かつては、髪や頭を熱から防護したくても、目立つサウナハットを被るのはどこか気恥ずかしい……という風潮がありました。ところが昨今の女性サウナ客は、ひいきの施設ロゴや自身のハンドルネームの刺繍、個性的なデザインで〈自分らしさ〉を表現するサウナハットを堂々と被っています。まさに、本来身も心も裸になるサウナのなかでもワンポイント・ファッションを楽しんでいるのでしょう。

もちろん浴室には携帯電話を持ち込めませんが、別室や屋外サウナイベントでハットを被った自撮りをＳＮＳにアップする女性が目立ってきているのも、現代らしい現象です。

●いま、サウナの癒やしを必要としているのは女性

「いつだってトレンドを生むのは女性たち」。モード業界ではよくいわれる言葉ですが、現代ではこのように、女性たちの趣向や新鮮な感性こそが、長年サウナに纏わりついていた〈男性の嗜み〉というイメージを鮮やかに塗り替えつつあります。

とはいえ、長年業界のコンサルティングに携わる太田に言わせれば、女性愛好家が増えているのはまだ局所的な（おもに女性の所得や自由度が高い都市部の）現象。こうした地域差は今後の課題ですし、社会全体に目を向ければ、まだまだ日本は男女平等が十分に実現している国とはいいがたいでしょう。

それでも、家庭を守る女性がサウナとはまったく無縁だった時代があったことを思えば、昨今の女性たちが自立しアクティブになったのは疑いありません。とくに都会では、自分のために使える余暇やお金を持てるようになった反面、当然ながら男性同様に仕事疲れを貯め、さらに仕事とプライベートの両立に心身をすり減らす女性が増えているのも現実です。

一章で紹介したウェルビーグループのオーナー**米田行孝**さんは、とあるインタビューで「いまは女性の方にこそ、もっとサウナが必要だと思っています。サウナって苦しいときやしんどいとき、心や体をほぐしてくれて、本来の自分を取り戻せる場所なんです[注10]」と答えていました。いま、日本の女性たちが次々に新規流入してきている、サウナという新しい居場所。それは、確実に新時代の女性たちにも癒やしと活力を与え、かつ女性ならではの楽しみや生き方を支えてくれる味方になりつつあります。そして今後ますます、女性たちの社会的立場や取り巻く環境の変化に合わせて、サウナもさらなる変化を余儀なくされるのではないでしょうか。

自然世界への案内役、テント&モバイルサウナ

序章で、自宅サウナの所有が簡単ではない日本人にとって、サウナ体験の中核の場は営業サウナ施設だといいました。とりわけコロナ禍以降は「黙浴」の遵守が徹底され、サウナ室でおのおの自分の世界に没頭しやすい反面、気軽におしゃべりやロウリュができない、という制約もつきまとうようになりました。

また、都会のサウナ施設ではどうしても叶えることができないのが、湖や川など〈天然の水風呂〉へのダイブや、大自然の息吹を感じながらの外気浴です。フィンランド人が、森の奥で煙を立ち上らせるサウナ小屋で汗をかき、気持ちよさそうに目の前の湖へと飛び込んでゆくイメージは、サウナ愛好家の誰もが憧れていることでしょう。

●常設が難しければ持ち運べばよいという新発想

日本にも都会を離れれば無数の清らかな水資源があります。ところが実際は、建築法や自治体のルールの障壁もあって、水際に常設サウナを所有するのは容易ではありません。こうした事情を背景に、昨今日本で個人所有者や常備施設が増加しているのが、テントサウナ®に代表される、いわゆるモバイルサウナたちです。

非テント型のモバイルサウナとしては、車での牽引タイプや、

トラックの荷台を改造した搭載車タイプがあります。フィンランドやエストニアからの既製品の輸入が一般的ですが、果敢に自作する人もいます。いずれにせよ、これらは金銭的にも技術的にもまだ少しハードルが高いジャンルといえるでしょう。

いっぽう、より手の届きやすい価格で入手でき、コンパクトな形状で保管も持ち運びもできることから現在もっとも普及が進んでいるのが、一章の**飛雪の滝キャンプ場**（74ページ参照）の事例でも紹介したテントサウナです。２０１６年の段階では、Instagram のハッシュタグで**#テントサウナ**の検索ヒット数はまだ30程度[注11]だったのに対し、２０２１年９月には２・８万件以上もヒットするようになったのですから、人気の上昇は疑いようがありません。

テントサウナは、株式会社メトスが２０１６年にフィンランド企業の**サヴォッタ**（**Savotta**）**社**製の商品の輸入販売を始めて商標登録したのを皮切りに、徐々に日本国内での流通が活発になりました。いっぽう、今日のブーム前夜からこの画期的なレジャーアイテムに一目置き、所有人口の拡大や独自イベントの開催に献身してきたのが、テントサウナ愛好家グループ**Sauna Camp.**です。サウナとアウトドア好きが高じた男性２人が２０１７年に立ち上げ、その後の事業拡大とともに法人化しています。

代表を務める**大西洋**さんは、フィンランド人が天然の水風呂を楽しむ姿を長年羨んでいたので、テントサウナとの出会いには衝撃が走ったといいます。すぐに本国フィンランドから１基直輸入して全国各地の水際で試用を重ね、施設サウナでは味わえない、まったく新しいサウナ体験の可能性を確信しました。

●鉄板イベントに成長したテントサウナ・フェス

彼らは当初、とにかくテントサウナの知られざる魅力を広めたいという思いで、使用法や使用可能場所の解説、臨場感たっぷりのテントサウナ体験記などをオンライン上で発信し始めました。そして、世間のサウナブームの高まりも味方し非営利団体ながら十分に知名度を上げた２０１８年、満を持して第１回「サウナキャンプフェス」を開催します。

初回は、全８基のテントサウナが山梨県北都留郡小菅村の山間の川辺に集結し、各地から愛好家１２０名が参加。フードセクションでは地元のジビエ料理も振る舞われました。これが一躍話題になり、翌年の第２回開催時には、１６０枚のチケットが即日完売、キャンプサイトへと送迎するバスチケットはオーダー１分で売り切れて、海外からの問い合わせもあったほどでした。

フェスでは、安全な入水が可能な河原や湖畔に何台ものテントサウナやモバイルサウナを設営し、ローカルな飲食物や物販の屋台も誘致します。水風呂はもちろん自然界の水資源で。あとは終日、タイトなプログラムを設けず、おのおの自由にサウナ浴と自然のなかで過ごす時間を楽しんでもらうスタイルです。このゆるくて新しい集客イベントの形態は、またたく間に、水質が自慢の川や湖沼を有する全国のアウトドア施設に波及しました。

●施設サウナで未達成の欲求に応えるテントサウナ

テントサウナはこのように、都会の施設内サウナしか知らなかったインドア派のサウナ愛好家たちを、屋外へ、それも非日常的な大自然のなかへと見事に連れ出しました。それまでアウトドアにはまったく興味がなかった愛好家たちまでもが、触発されてマイ・テントサウナを購入。一式を担いで水の良いキャンプ場をあちこち開拓して回る……という新現象も、施設サウナに通いづらくなったコロナ禍を機に目立ち始めました。白邸のベランダや庭に常設し、自宅サウナの代用品として利用する人も増えています。

長らく施設サウナでの体験だけに身を委ねてきた日本人にとって、テントサウナは「最小単位のプライベートサウナであると同時に、会話の弾みやすいオープンな雰囲気をつくり出してくれるサウナ」だと、大西は説明します。筆者も一度、静岡県浜松市で開催されたテントサウナ・フェスに参加しましたが、サウナ内の印象は、日本の施設サウナの雰囲気とはある意味対照的で、誰もが他者とのたわいないおしゃべりに興じながら、童心に返って無邪気にロウリュや水遊びを楽しんでいました。

男女混浴、セルフロウリュ、ウィスキング施術、合間の飲食、そして気兼ねない会話……日本の施設サウナでは、これらはまだ大っぴらには楽しめません。その細々とした欲求の隙間をフレキシブルに埋め、より自由で寛容なサウナ体験を日本人に差し出してくれるのが、テントサウナという新しい存在なのです。

そしてなにより、テントサウナの「大自然のなかでサウナ浴を楽しめる」特性のおかげで、古来フィンランド人がサウナ浴を通じて受け入れてきた「自分も自然世界の一部である」という実感を、ようやく日本人も直感的に共有できるようになったといえます。日本人も、景勝地に露天風呂をつくる伝統を受け継いできた民族です。ただし風呂の場合は、安全な場所にある

テントサウナ・フェス　河原に何基ものテントサウナが並んで煙を出す光景は圧巻　提供：Sauna Camp.

天然の水風呂　誰もが童心に返って水や自然と戯れる　提供：Sauna Camp.

心地良い温度のお湯に浸かりながら絶景を眺めるのみという点で、美しい自然に「囲まれている」という感覚のほうが強いでしょう。いっぽう、都会育ちの大西は、テントサウナを「よりプリミティブで野生を再獲得できる入浴体験」だと表現します。

自分で場所を選んで立てた簡素なテントのなかで、時間をかけて木や火や蒸気といった自然の元素と向き合う行為。身ひとつで川や湖沼に飛び込んで流れのある天然水と戯れ、地面に寝そべって風の息吹や大地のエネルギーを素肌で受け止める行為。テントサウナでの営みはすべて、露天風呂以上にダイレクトかつ能動的に、自然世界と接点をもつ総合体験だといえます。〈ととのう〉ところには、野生、すなわち自分自身がすっかり自然世界の一部として同化したような、特別な感覚を味わえるのです。

●今後期待される、災害現場でのモバイルサウナの活躍

最後に、ある意味で非常に日本らしいモバイルサウナの活用実績を紹介します。地震や津波、台風など、深刻な自然災害に頻繁に見舞われるこの国では、たびたび被災地の避難所で、モバイルサウナが簡易入浴場として使われてきたのをご存知でしょうか。

例えば２０１１年の東日本大震災のときには、国際サウナ協会とフィンランド・サウナ協会が寄贈した巨大テントサウナや、日本サウナ・スパ協会の有志が自作したサウナ搭載車が東北地方に運ばれ、入浴どころか身体をきれいにする手立てもなかった被災者の心身をあたため、清め、癒やし続けたのです。

大西は、「風呂を沸かすには相応量の水や燃料が必要になるし、設置にも時間がかかる。いっぽうサウナの場合は最小限の水と熱源で、一度に多くの人が入浴あるいは暖を取ることが可能なので、緊急時には、風呂以上に利便性が高いはず」と、テントサウナのレジャー性を超えた可能性にも期待を寄せます。事実近年は、自治体の防災や観光の補助金を活用してテントサウナを購入し、複数の自治体で共同保有するというアイデアも、とあるエリアで具体的に検討され始めているそうです。

とはいえ日本では「風呂は生活必需品だがサウナは嗜好品」という認識がいまだ根強く、災害現場で安心してサウナが活用されるには、まだまだ人びとの理解と自治体との連携が必要だと、大西は指摘します。今後少しずつ、現場での適切な実績を重ねてゆくことで、モバイルサウナが災害時の新たな救世主としても、この国で受容されていくことを願わずにいられません。

ツーリズムや地域創生とサウナの相性

すでに紹介したように、近年はメディアやＳＮＳ上で話題になる、遠方の個性的なサウナ施設巡りを旅のメイン目的にする「サ旅」が、愛好家の間で定着しています。そもそも近年の世界的な傾向として、ガイドブックに載る名所を順々に見て回るだけの旅から、その土地に根づく素朴な文化や日常を〈体験する〉旅へと価値が移ろってきました。あの国や都市に行ってみたいという漠然とした願望から、この地域のコレが食べたいから、この民宿に泊まりたいからというように、人びとが旅先を選ぶ理由が主体的になり、同時にどんどん細分化しているのです。

[久米家]の蔵サウナ　岡山県美作市にある古民家ゲストハウスの宿泊客用で、古い蔵をスモークサウナに改築

[MARUMORI-SAUNA]　宮城県丸森町の清らかな河原で営まれる貸切りサウナ

●サウナ旅を通じて、地域の特色を五感で味わう

とはいえ興味がない人にとっては、どこでも入れるサウナ浴のためだけに貴重な時間やお金を投資する価値があるの？と、サ旅はまるで理解不能な行動に見えるかもしれません。

けれど一章の**湯らっくす**や**ume,sauna**などの例で見たように、一連のサウナ体験は、立地や水風呂の水質、サウナ上がりにいただくご飯などから、その土地ならではの歴史や風土を五感で楽しめる瞬間の連続なのです。また当然ながら、サ旅の旅人は本当にサウナにしか滞在しないわけではなく、合間の時間には少なからず、近隣の観光やグルメ、お土産の物色も楽しみます。つまり彼らはサ旅を通じて、むしろサウナというきっかけがなければ一生訪れることもなかったかもしれない知られざるまちや地域の魅力に、思いがけず出会うことができるのです。

●自然一体型サウナの求心力を示した先駆け施設

ume,saunaのプロデューサーとしても紹介した**野田クラクションベベー**さんは、システム開発からゲストハウスの運営までを手広く手掛けるベンチャー企業の社員です。彼は２０１９年春に、長野県上水内郡信濃町の別荘地にあるゲストハウス**Lamp**の、オフシーズンの集客という課題解決を担当します。その際、フィンランド式サウナ小屋の併設という発想でミッションを大成功させたことが、いまやサウナ・プロデューサーとして業界内でよく知られる彼の、ニッチでユニークな活動の原点となりました。

Lampは年中涼しい高原内にあり、そばには野尻湖が広がります。湖畔の林には白樺林も生育し、清澄な湖面が山並みを映す光景は、確かにフィンランドの湖畔を想起させます。夏は避暑客やアウトドアレジャー客で賑わうものの、積雪量が多く冷え込む冬場はどうしても客足が落ち込みます。

野田はかつて、フィンランド旅行で本場のサウナや景色を体験していました。そこで、当時まだ日本にはテントサウナ以外にほとんどなかった、フィンランド人のように大自然のなかでサウナ浴を楽しめる施設を、本場と風土が近いこの地に常設しようと志したのです。その結果生まれたのが、フィンランドのコテージサウナを彷彿とさせるログ造りの薪焚きサウナ小屋**The Sauna**です。合間には、野尻湖はもちろん近隣の川の清水を引いた浴槽に浸かれ、冬には雪へのダイブも楽しめます。

「The Sauna」は、自然一体型サウナ体験施設の先駆けとして開業当初から話題になり、都市在住のサウナ愛好家らがこぞって小旅行に訪れるようになりました。おかげで稼働率は年間を通して100%を誇ります。そして、このサウナを併設したおかげでゲストハウスの集客数は1・5倍以上になり、空き時間にローカル・アクティビティも体験してゆく滞在客の獲得という好循環をも生み出したのでした。

●地方サウナの過多時代にもリピーターを獲得するには

The Saunaの成功事例が弾みとなり、昨今は全国的に見ても、地方の宿泊施設やキャンプ場、あるいは観光や地域創生に携わる人らがこぞって「サウナ頼み」のプロジェクトに着手し始めました。前項で紹介したテントサウナを活用したり、一念発起してゼロからサウナ施設（おもに予約制の貸切りサウナ）をつくる事例は著しく増えています。眺望の良い場所に建てられた大きなガラス窓をもつサウナ、日本古来の蔵の遺構を再活用したスモークサウナ、最新技術を使い独創的な形状で勝負するサウナ、鍾乳洞を水風呂代わりに開放するサウナ……まさにアイデア合戦ここに極まれり、と言いたくなる、サウナ群雄割拠の新時代の到来です。

このように次々に目新しいサウナが各地につくられると、サ旅客たちも目や肌がどんどん肥えてきて、行き先を慎重に選ぶようになり、リピーター獲得は至難の業に。野田は、この空前のサウナ過多時代において選ばれ続けるサウナをつくり、息長く運営してゆくには、サウナ自体の奇抜さや豪華さよりむしろ、場所やつくり手の「ストーリー」と「ホスピタリティ」のほうが重要だと力説します。ストーリーというのは、そこでしか得られない体験、言い換えれば「そこにサウナをつくる意味」を編み出すことです。観光誘致のためにサウナをつくるのであれば、サウナ体験を通して旅人たちが求めるその土地の〈風土〉、

[The Sauna]の初代サウナ「ユクシ」　6〜8名用の風格あるログ造りで、フィンランドさながらのサウナ原体験が味わえる
提供：The Sauna

すなわち自然環境、文化、歴史などの特色を感じられることが肝要なのです。

加えて、サウナをつくる人がどれだけ純粋にサウナと郷土を愛し、その魅せ方を真剣に考えているか……というつくり手自身の人間味あるストーリーにも、現代のサウナ愛好家たちはとても敏感だと野田はいいます。むしろ、つくり手の度を超えた〈偏愛ぶり〉にこそ期待を寄せ、完成前から自分も支援をしたいと前のめりになる傾向があるほどなのです。際立ったストーリーはすぐにSNSでシェアされ、サウナ施設の評価基準の立派な一翼を担います。湯らっくすやume,sauna、The Saunaが遠方からファンを集め続ける理由も、そこにあるといえるでしょう。

そして、人から人へと直に伝わるホスピタリティが、人が〈驚き〉や〈感動〉を味わい、もう一度その場所に戻ってきたいという思いを強める一番のエッセンスだと、野田は強調します。「サウナの運営とは第一に人を介したサービス業であって、その究極の手本となるのはディズニーランドのもてなしの精神である」というのが、彼がスタッフにいつも訴えるモットーです。

確かに、これまでとりわけ印象に残っている旅の記憶を紐解けば、圧倒される景色や体験よりもむしろ、そこで出会った人との交流や、誰かの優しさが、その瞬間のインパクトを際立たせていることに気づかされます。つまるところ、施設の魅力や個性を生む一番の資源も、その意味では「人」なのかもしれません。

●サウナの良さを全国的に広めるために、敢えて地方へ赴く

もうひとつ、サウナ・ツーリズムに関わる興味深い事例を紹介したいと思います。飛雪の滝キャンプ場では、地域おこし協力隊員が無名のまちのキャンプ場にテントサウナを導入することでサイトの活性化を成し遂げていました。

いっぽう、同じく地域おこし協力隊の制度を利用し、ブームのさなかでも都市部との温度差が目立つ中国・四国地方でのサウナ普及を志して、なんと自ら鳥取県に移住してしまったサウナ・インフルエンサーがいます。かつて首都圏のサウナ施設で、数少ないフリーランス女性アウフギーサーとして活躍していた**五塔熱子**《ねつこ》さんです。アウフギーサーとは、熱気を撹拌するためにサウナ室内で華麗にタオルを仰ぐサービス「アウフグース」の技能をもった人の呼称（１５７ページ参照）。彼女は女性パフォーマーの第一人者として、関東圏で男女問わず多くのファンを抱えていました。

移住以前から全国各地への出張アウフグースもこなしていた五塔は、地方には水が良く魅力的なサウナがあるにもかかわらず、地元客の盛り上がりやアウフグースの知名度は関東圏を離れるほどに地域差が広がると、感じていたそうです。サウナを活かした観光事業とともに地域の住民たちの暮らしにもサウナを根づかせるための活動がしたいと考えた五塔は、鳥取県東伯郡琴浦町の地域おこし協力隊員を志願しました。

鳥取県琴浦町の［Nature Sauna］　キャンプ場内にフィンランド式サウナを新設

地域おこし協力隊員のサウナ普及活動　訪問客にアウフグースサービスを行なう五塔熱子

琴浦町の大山隠岐国立公園内のキャンプ場には、２０２０年秋にオープンしたNature Saunaという素晴らしいフィンランド式サウナ施設があります。五塔は、広告塔としてこの施設に定期的に顔を出しては得意のアウフグースで訪問客を楽しませ、町のPR活動に勤しむいっぽうで、時間さえあれば地元の公民館を訪れているといいます。

高齢化が進む琴浦町では、公民館が住民の集う憩いの場。彼女はそこで「サウナってご存知ですか?」と進んで話しかけ、健康効果を説明したり、タオルを仰ぐ真似を見せたりしながら、興味をもってもらえるよう対話を重ねています。２０２１年10月には、琴浦町の海岸部の観光開発プロジェクト団体と一緒に、

多くの町民を招待してはじめてテントサウナのイベントを実現させました。

「この町の人は〈ここには何もないから〉とすぐ口走っちゃうんですが、県外の人がわざわざ訪れて褒めてくれる良いサウナがあることを知って、誇りに思ってほしいなと思うんです。町民の自己肯定感が上がれば郷土の魅力は増すし、対外アピールもきっとうまくなるはずですから」――五塔はそう話し、今日も地道におじいちゃんおばあちゃんを大好きなサウナの世界へと「口説いて」まわっているのです。

急成長するサウナグッズ市場

ここまで日本の多様なサウナ・マーケティングの拡がりを紹介してきましたが、もうひとつ、昨今目が離せないムーブメントがあります。それは、サウナ施設や愛好家が制作販売する「ロゴ入りサウナグッズ」の驚異的な売れゆきです。サウナ愛好家たちが、ひいきの施設やインフルエンサーたちの関わるグッズ購入への投資を惜しまない傾向が、年々顕著になっているのです。

グッズには、タオルやサウナハットなど入浴施設での実用品から、Tシャツ、マスクといったファッションアイテム、さらには食器類のようにもはやサウナ浴とは無関係の商品さえもが出回っています。また、施設のオリジナル・サウナグッズの制作を代行するスモールビジネスまで生まれています。

●サウナ版コミケが、脅威の売上を叩き出す時代

こうしたグッズ類は、基本的には各施設の店頭やECサイトで常設販売されます。近年はそれに加えて、大型入浴施設のロビーやイベント会場、さらには百貨店の催事場で、サウナや入浴グッズに特化した合同ポップアップ・マーケットがしばしば開かれ、これが毎度、信じられない盛況ぶりを見せるようになりました。

日本のポップカルチャー業界では、「コミケ（コミックマーケット）」という世界最大の同人誌即売会が、絶大な求心力をもっています（2019年は4日で動員数75万人を超えたそうです）。会場では、マンガ・アニメ・ゲーム分野の関連企業、あるいはそれらを趣味として極めるいわゆるオタクたちが、割り当てられた小さな販売ブースで自作作品やグッズを売り買いします。規模こそ違いますが、いまサウナ物販業界を賑わせているのは、まさにその〈サウナオタク版〉といえるでしょう。

例えば2021年7月、東京新宿にある日用品の大型デパートの催事場で、「全国サウナ物産展」という過去最大規模のサウナグッズ販売イベントが開催されました。これは、コロナ禍で満足に遠方旅行ができない時期だからこそ、国内各地のサウナ施設のロゴグッズを東京に取り寄せて一斉販売しようという試

みで、3週間の会期中に一度出店店舗が入れ替えられ、計50店舗以上の施設の個性豊かなロゴグッズが売られました。結果、連日開店前から長蛇の列ができ、最終的には計2万点近い商品が売れたというのです。どのブースでも、追加入荷してもすぐ完売……という嬉しい悲鳴が上がり続け、ニッチな業界の物販イベントとしては、信じがたい実績を叩き出したのでした。

●サウナへの没頭の度合いをグッズでアピールする

株式会社アクトパスの代表**望月義尚**さんは、国内で温浴事業のコンサルティングや運営サポートに特化した事業を20年以上手掛けてきました。そんな彼も、昨今のサウナ業界におけるグッズ販売マーケティングの影響力を、まったくの新現象として信じられない気持ちで見守っているといいます。

というのも、長らくサウナ施設の物販による集客力や売上は微々たるもので、せいぜい男性が下着や耳栓を買うくらいのものだったからです。大型施設だと、ロビーの一角に、品選定やオペレーションを業者に委託した土産販売ブースを設ける店舗もあります。ただしそこで売られるのは、お菓子や漬物など地元の特産品が中心で、「お店のロゴグッズを売る」という発想はほとんどありませんでした。それがいまや、サウナ店舗のロゴや個性を打ち出したグッズは「出せば売れる」という、まったく新しいセオリーが確立しつつあるのです。昨今は望月も、業績改善やプロモーションの一環として、オリジナルグッズづくりをアドバイスするようになったそうです。

サウナ愛好家がご当地サウナグッズを買い込む目的は、「旅先での思い出や特産を周りの人と共有したい」という従来のお土産文化とは明らかに別物です。端的にいえば、ギフトとしてではなく、自分自身の利用のために、各地でグッズを買い込んでいるのです。望月は、この新現象にサウナ愛好家特有のいくつかの心理や生活様式がはたらいていると見ています。

まず昨今のサウナ愛好家は、世代や所得にかかわらず普段から「物欲」よりも「体験重視」の趣向をもつ人が多くいます。彼らは、流行品や高級ブランド品などにお金を注ぎ込むことにあまり興味がないし、そもそもサウナや食事といった体験価値の購入以外に、さほどお金を使わないライフスタイルを好みます。だからこそ、自分が愛してやまないサウナ関連グッズなら躊躇なく投資できる、こころと懐の余裕があるというわけです。

もちろん、体験重視の趣向と、サウナグッズを買い込むという行為は相反していると感じるでしょう。ですが、もはや現代のサウナ愛好家にとって、サウナ浴は複合的な〈趣味〉のひとつなのです。だからこそ、その趣味を充実させるために利用するグッズにもこだわりをもつ。さらに時間外でも、自分がサウナに惹かれているという事実や誇りを噛み締められるアイテムを、身に着けたりそばに置いておきたい、という潜在意識がうかがえると望月は話します。見方を変えれば、自分はサウナが好きだという意思や、サウナ特有の心地良さや脱力感が象徴する、「忙しない社会や時代に流されず、むしろ悠長に逆行している」というようなポジティブなイメージが、彼らの日常ファッションスタイルに落とし込まれ始めたのです。

●自分らしさにフィットしていれば、かっこいい

例えば老舗施設のロゴや、それらを基につくられるグッズの多くは、有名デザイナーが手掛けたわけでもなく、一般的な目線で〈かっこいい〉と感じるかといえば、疑問の残るクオリティであることは否めません。けれどそれらには、外国人が意味も知らずに着ている怪しい日本語Tシャツに通ずるようなコミカルさ……つまり、従来のファッショナブルさとはどこか違う、特有のゆるさやレトロさが内在している、と望月は分析します。愛好家目線では、そのゆるい印象こそが、他人の目を気にせず独りで気ままに没頭できる〈サウナ趣味〉そのもののイメージとリンクします。そしてそれは、自分らしさの象徴という意味で、むしろ〈かっこいい〉とすら感じるというわけです。

さらに、独りではいささか着用が気恥ずかしい施設のロゴ入りファッショングッズであっても、少なくともサウナ愛好家同士のコミュニティのなかでは、そうした羞恥心を取っ払えます。多くの日本人にとって、サウナ浴はとても〈個人的な〉嗜みであることは何度も述べていますが、近年はサウナイキタイとTwitterをメイン・プラットフォームにした、愛好家たちのオンライン・コミュニティの存在感が日に日に強まっています。そこで日常的に流れてくるのは、ロゴTシャツを身に着けたインフルエンサーたちの写真や、ワクワクする物販展の告知。その賑わいに安心感や連帯感をもらいつつ、自身もグッズを手にすることで帰属意欲を満たす人が増えているのです。

●グッズを買って、好きな施設を応援する

そしてもちろん、ある施設のグッズを買って普段使いするという行為は、自分が気に入った施設への愛着や応援の、何よりの

全国サウナ物産展　全国のサウナ施設から寄せられたグッズに愛好家が殺到した

［サウナラボ神田］のサウナマーケット　国内外から集めた貴重なサウナグッズの常設販売ブース

証となります。２０２０年春にコロナ禍で多くのサウナ施設が一時閉鎖や業績不振に陥ったとき、サウナイキタイの運営チームは各店舗のロゴを用いたステッカーやＴシャツをオンライン上で制作販売し、その売上を施設に還元するという取り組みを始めました。これもまた空前の求心力を見せ、約1年半のキャンペーン期間中に３０００人近くがグッズ購入に加勢し、応援総額は総計１６００万円以上にも達したのです。

実は筆者も、このロゴグッズ販売による施設支援モデルをフィンランドの一時閉鎖中の公衆サウナ支援にも応用できるのではと思い、現地のサウナブロガーに呼びかけて、同年夏に「Hyvät löylyt muistetaan!（よいロウリュを覚えていよう！）」というキャンペーンを立ち上げました。賛同してくれた国内の公衆サウナ施設からロゴを借りて、Ｔシャツ、パーカー、トートバックなどを作成。それらをオンライン販売したのですが、なんとこのときも、商品を購入してくれた人の90%が日本人だったのです！

決して安くない海外送料を自己負担して、過去に旅行で訪れたことのある施設、あるいは行ったこともない施設のロゴグッズをたくさん買い、憧れのサウナの国にエールを表明してくださった日本人がこんなにたくさんいたこと。そのことこそを、わたしはこれからもフィンランド人たちに「覚えていよう！」と誇らしく呼びかけてゆきたいと思っています。

注1　山内昶／山内彰『風呂の文化誌』文化科学高等研究院、２０１１、p.151
注2　中西敦朗「江馬式蒸気風呂と薬草」『日本医史学雑誌』第43巻 第1号 通巻 第１４８５号、１９９７
注3　藤浪剛一『東西沐浴史話』人文書院、１９４４
注4　中山眞喜男『創立30周年記念誌　昭和・平成のサウナ史』公益社団法人日本サウナ・スパ協会、２０２０、p.9
注5　Youtube番組「マグ万平ののちほどサウナで」（２０２１年7月27日公開）での中山眞喜男氏の証言より https://youtu. be/ivAjV4-y9GU
注6　Tuomo Särkikoski "Kiukaan kutsu ja löylyn lumo", Gummerus Kustannus Oy, 2012, p.129
注7　日本サウナ・スパ協会『日本サウナ新聞』第1号（7月20日）、日本サウナ新聞社、１９７２
注8　Saunaseura "Saunalehti" 04/2020 s. 47
注9　『Official handbook to Tokyo Olympics』オリンピック東京大会組織委員会、１９６４
注10　ほぼ日刊イトイ新聞「サウナラボ米田行孝さんとサウナの話。」（２０２１年7月27日公開） https://www. 1101. com/n/s/sauna/interview_yoneda/2021-07-27. html
注11　Sauna Camp. 独自調査による

三章 ブームを文化に押し上げる愛好家たち

ヴィヒタをつくる園芸家　夏の間、地元の森で採れる白樺やミズナラの枝葉をひたすら束ね続ける

1

SAUNA × MANGA

タナカカツキ

マンガ家

鮮烈な表現で負のイメージを一新し、若者にも女性にも間口を拡げる

本書でもここまで繰り返し登場してきましたが、マンガ家**タナカカツキ**さんが2011年に発表したコミックエッセイ『サ道』（パルコ出版）と、それに続く『マンガ サ道』（講談社）とドラマ版「サ道」（テレビ東京）。これらは疑いなく、今日のサウナブームを扇動した〈バイブル〉です。

かつてキリスト教の世界に「聖書」ができたことで、その漠然とした教えや恍惚体験が言語化され、国境や時代をまたいで伝達や共感ができるようになりました。それとまったく同じ現象を日本サウナの世界に巻き起こしたのが、『サ道』なのです。

タナカ自身がサウナに目覚めたのは、2007年ごろだったといいます。自分がこころから惹かれた体験をもっと世に広めたいと思う心理は、誰しも同じです。けれど仮にこのとき、別の誰かが「サウナってこんなに素晴らしいんだよ！」ということを必死に訴え、あの手この手で表現しようとしたところで、果たしてここまで世界は変わったでしょうか。

一見ゆるくてコミカルで、成りゆき任せにも思える『サ道』という作品。けれど実はわたしたちの想像を軽く超えた、マンガ家でありアート・ディレクターでもあるタナカの「したたかな戦略」と「必死の努力」が実を結んだ熱血作品なのです。

●イメージの払拭には、デフォルメ表現や印象操作も躊躇しない

タナカがサウナに没頭し始めた2007年ごろ、一般大衆はサウナに対してまだ関心がないどころか、むしろネガティブなイメージをもつ人が多数派でした。いわゆる、「汗臭く、熱いのを我慢するだけの、おじさんのたまり場」というものです。もちろんタナカも最初は、そのイメージをもつひとりでした。

けれど、意を決して常連さんを手本にサウナと水風呂と休憩所を往復してみたら、それまでの先入観が180度覆されるほどに、とにかく気持ちよかった。その言葉にならない「気持ちよさ」を広く波及させるために、プロの表現者であるタナカが

タナカカツキ
2011年『サ道』（パルコ出版）を刊行後、日本サウナ・スパ協会からサウナ大使に任命され、毎年「日本サウナ祭り」を主催する。著書に『逆光の頃』『オッス！トン子ちゃん』、天久聖一との共著『バカドリル』などがある。

『マンガ サ道』第1巻13ページ モノクロながら〈ととのった〉瞬間の独創的な描写が話題を呼んだ © タナカカツキ／講談社

まず画策したのは、「いかにして従来のイメージを払拭し、まったく新しいカルチャーに仕立てるか」ということでした。

大衆のもつ根深いイメージを根こそぎ書き換えるためには、「本当は気持ちいいよ!」とありのままに伝えるだけではまったく弱すぎたと、タナカは断言します。良い部分は躊躇せずデフォルメすること。さらに、大衆にとってすでに馴染みのある習慣やカルチャーに近似した要素を掬い上げ、同じ土俵へと強引に引っぱり込むこと。それくらい大胆な印象操作を行使して、はじめて人が振り向き革命が起きる、というわけです。

まず、従来の「熱苦しい」イメージを一掃するためにタナカがターゲットにしたのが、サウナ室ではなく「水風呂」の存在でした。水風呂なら、絵面としても馴染みあるお風呂に近いし、サウナ室よりも圧倒的に清涼なイメージを出せる要素です。

冷水に入るという行為も、もちろん世間一般には狂気の沙汰です(笑)。けれどそこは、穏やかに身を沈めれば〈温度の羽衣〉〈熱を帯びた素肌と冷水との境界に生まれる生あたたかい膜をタナカはそう表現する〉ができて不思議と長居できるよ、とタナカが作品中で丁寧に説いてくれます。そして何より、そのあとの休憩中にとびきりの快感が待っていることを強調することで、「サウナ体験はサウナ室内での出来事がすべてではない」ことを、明快に主張したのです。

コミックエッセイ版『サ道』を読めばすぐにわかりますが、タナカは、サウナや水風呂を経て感じられる気持ちよさを、明らかにドラッギー(麻薬的)な世界観に重ねて表現しています。快感到来の瞬間にキャラクターの周囲に現れるサイケデリックな幻影模様は、いわゆるトリップ感の象徴にほかなりません。

もちろんそこには、少し大っぴらにしづらい「アングラ感」も伴います。けれど例えば音楽カルチャーでは、同類の多幸感を音で表現し聴衆がそれに浸ることが、すでにひとつの大きな潮流を成し、市場を獲得しています。

つまり、サウナ後の心地良さを、リラクゼーションの方向ではなく敢えて際どいトランス体験になぞらえる試みは、これまでサウナに見向きもしなかった世代や趣向の若者たちを「ととのる」ための世界観づくり、にほかならなかったのです。

マンガ版では、さらに恍惚の瞬間に「ととのった〜」と癖になる決めフレーズが付加され、描画表現は穏やかさが増します。また、タナカ本人の体験談だけでなく、さまざまな境遇の人びとの人間模様や感情が描かれるようになりました。これらは、コミックエッセイ版の露骨なサブカル感が幾分薄れて、より多くの人を惹き込む王道作品に進化した証でしょう。

●間口を拡げるためには、女性を振り向かせて味方につける

マンガ家としてだけでなく、アートディレクターとしても実績が豊富なタナカは、実は『サ道』各本の「装丁」にもあらゆる

策を仕込んでいました。コミックエッセイ版『サ道』のカバー表紙（134ページ左下参照）をご覧ください。描かれているのは水風呂に身体を沈めるキャラクターだけで、サウナ室は一切描かれていません。しかもメインカラーは、熱いサウナのイメージと対極をなす爽やかなブルーです。

そしてそもそも、タイトルが『サ道』。タナカは、当時まだイメージが良いとはいえず、直球では相手にもされなかったであろう「サウナ」という言葉を敢えて使わず、さらに表紙に描くこともなく、するりとポップカルチャー業界に流れ込ませて、しれっとサウナ作品の金字塔を打ち立てていたのでした。

マンガ版もそうです。サウナ初心者の必読書といわれる第1巻のカバー表紙（134ページ右下参照）にはやはり、じっとり熱いサウナ室を想起させる濃い暖色はまったく使われていません。その代わり、淡い色の背景に女性の気を引く鮮やかなピンク色で題字が彩られ、さらにカバーイラストには、本編にまったく登場しない女性たちまでが描かれているのです。

また、カバーを外した表紙のカラーも、サウナ室の補色ともいえる鮮やかなグリーンです。2巻以降も、同様に爽やかで清涼感のある色使い、あるいは例のサイケデリックな〈ととのい〉カラーで、完全にサウナ本来のイメージ色を隠蔽しているのです。これらはすべてひとえに、「従来の負のイメージの払拭」と「女性をサウナに呼び込む」ための戦略でした。

さらに女性をサウナの世界に誘い出すために、長年タナカがマンガ表現の場以外でもこつこつと布教の努力を続けていたことは、おそらく誰も知らないのではないでしょうか。

ちょうどコミックエッセイ版『サ道』出版と同時期に、タナカが商品開発を手掛けたカプセルトイの「コップのフチ子」シリーズが大ヒットし、彼にメディア取材が殺到していました。コップのフチ子は女性がメイン購買者だったため、インタビューに訪れる記者さんも女性が多かったようです。

そのときにタナカは、フチ子の話はそこそこに、隙あらばサウナの話に持ち込み、女性読者に向けてサウナの魅力も発信してもらえるよう頼み続けていたといいます。もちろん、その取

日本サウナ祭り会場　会場は、長野県小海町にあるフィンランド・ヴィレッジ　提供：サウナフェスジャパン実行委員会

日本サウナ祭り女性客　イベントに参加する女性愛好家は年々増えている　提供：サウナフェスジャパン実行委員会

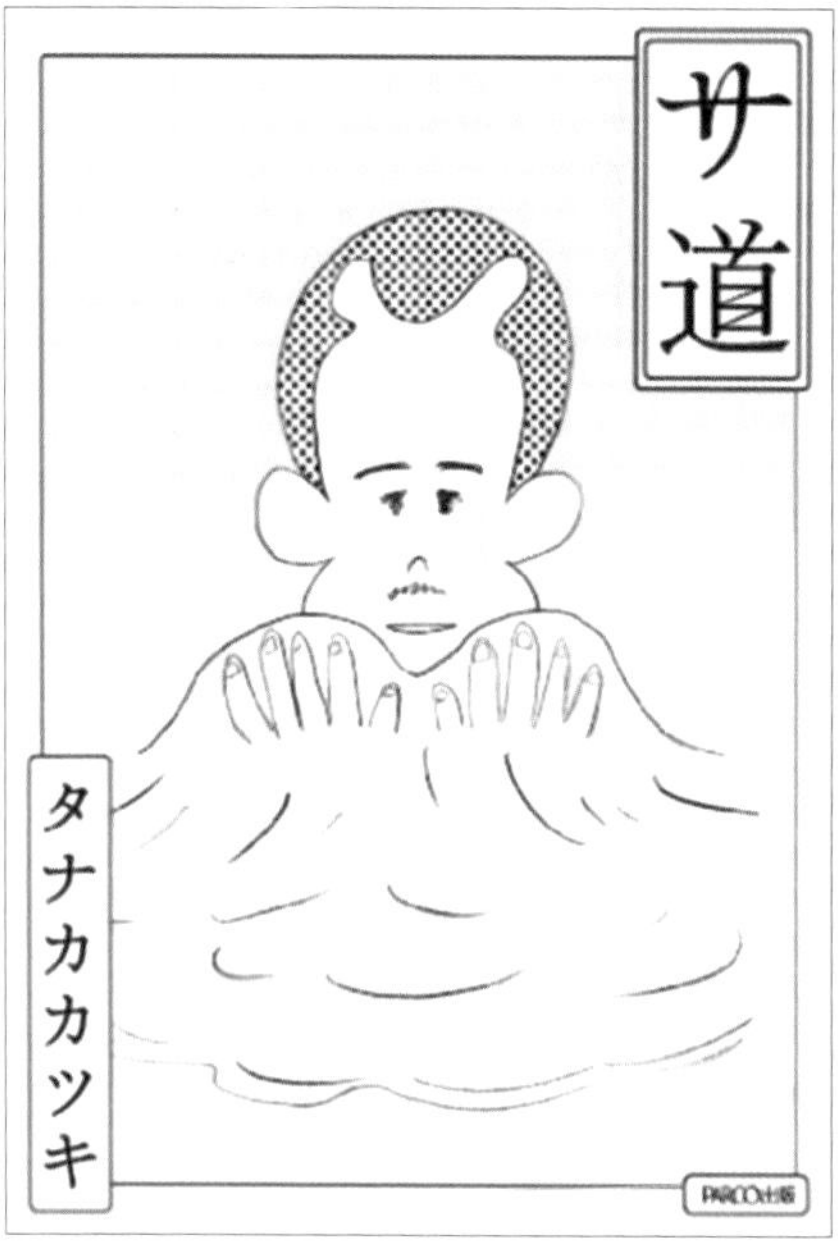

(上)コミックエッセイ版『サ道』124ページのイラスト　サイケデリックな背景画でサウナ後のトリップ感を如実に表現してある　刊行：PARCO出版
(右下)『マンガ サ道』第1巻の表紙　サウナ室と無縁の爽やかなカラーが多用してあるのがわかる　刊行：講談社
(左下)コミックエッセイ版『サ道』表紙　ブルーをテーマカラーにし、サウナ室が一切描かれなかった表紙　刊行：PARCO出版材記事にサウナの話題が反映されることはほとんどありませんでしたが、後日、別取材でサウナを取り上げてくれる媒体は少なからずありました。

さらに、タナカが所属するサウナ愛好家団体**フィンランドサウナクラブ**が、毎年3月7日(サウナの日)に主催している「日本サウナ祭り」というサウナイベントの初年度には、女性ライターを一斉招待し、感度が高く発信力のある女性たちに、本格的なサウナを体験してもらう機会をつくったそうです。

こうした女性ターゲットの地道な布教活動が徐々に花開き、タナカ自身がはじめて女性サウナ愛好家の参入ブームの萌芽を実感できたのが、2017年に開催された第2回日本サウナ祭りでした。この年から、参加者は一般公募になりました。結果として、絶対数ではまだまだ男性に敵わないものの、明らかに女性客や男女カップルの姿が目立っていたといいます。

タナカが参加カップルにヒアリングしてまわったところ、ほぼすべてのペアが、女性からパートナーを誘っていたことも発覚しました。こうした現象からも、やはり新しいカルチャーを切り拓いていくためには、好奇心旺盛で行動力のある女性たちをもっと積極的に巻き込んでいくべきなのだ、という思いを新たにしたそうです。

●自己管理力が問われる時代だからこそ、サウナをもっと日常に

今日わたしたちが当たり前に享受しているサウナの楽しみ方や、いつの間にか抱いているポジティブなイメージの数々。これらがいかに、タナカらしい鮮烈なディレクション力と長年の布教活動とによって「扇動」されてきたものだったか、身に染みたのではないでしょうか。

新しいカルチャーを築くという初期段階においては、ドラッグカルチャーになぞらえるくらいの〈スパイス〉が不可欠だったとはいえ、サウナ本来の真髄はやはり「穏やか」に「リラックス」すること。けれどそれはもはや自身が主張せずとも、人びとが実際にサウナを体験すれば、徐々に気づいてくれるはずだとタナカは確信していたようです。

こうして、10年前は(タナカ以外には)想像もできなかったくらいにサウナが認知度を上げ、好印象を勝ち得たいま、タナカは次に自分が果たすべき使命を、すでにはっきり自覚しています。それは、自身の作品や活動を通して「人びとの日常生活にサウナを溶け込ませる」こと。ブームのおかげで多くの新規愛好家がサウナに通うようにはなりましたが、彼らにとって、サウナ体験はまだやはり流行りモノ、すなわち〈非日常感〉を逸脱しておらず、いつ飽きるかも時間の問題です。

いっぽう、すでに日々のルーティンにサウナ時間が組み込まれているタナカは、サウナがもっと日々の暮らしに根づいてこ

そ、生活そのものが〈ととのい〉、毎日機嫌よく健やかに過ごせるのだ……という実体験を、次は大衆とシェアしてゆきたいのです。

「未来の〈サ道〉は、みんなが日々習慣的にサウナに通って、ジョギングや筋トレと同じ立ち位置にサウナがくることだと思うんです。これからの時代は、人びとがさらに会社に寄りかからない生き方をすることになるでしょうから、〈自己管理能力〉が絶対不可欠です。自分で自分のことをコントロールしてゆかねばならない日常において、サウナは避けて通れないものだとわたしは思っています」

タナカカツキ　日本サウナスパ協会公認の「サウナ大使」でもある

２０２１年8月に刊行された第5巻では、事業や社員とのコミュニケーションがうまくいかず悩む経営者、とりあえず友達にサウナに連れられてきた若者、サウナのおかげで夢や生きがいを見つけたＯＬなど、「一般人」のありふれたライフストーリーとサウナとの交点がいくつも描かれています。

サウナに通い続けることによって起こる、日常のささいな変化、不調の軽減、マインドの好転。影響の現れ方は人それぞれだけれど、サウナは万人の人生を確実にいまよりも〈ととのわせて〉くれる。この次なるメッセージを広く伝えるために、天性の仕掛け人であるタナカが今度はどんな策を講じてくるのか、そして10年後のわたしたちの暮らしとサウナの関係がどう変わっているのか、楽しみにしていようではありませんか。

2 SAUNA × MEDIA 柳橋弘紀

番組プロデューサー

あるがままを映像に収め、愛好家目線で施設のこだわりを発見する

2019年夏にテレビ地上波（テレビ東京）で第1期の放映を開始したドラマ版**「サ道」**が、サウナブームの加速に多大な影響を与えたことは、すでに述べました。ところが日本では、このドラマの放映以前からすでに、風呂でも温泉でもなく「サウナ」だけに特化した映像メディアのコンテンツが、テレビやインターネット上で放送され始めていました。

実はフィンランドですら、特番以外でサウナだけにフォーカスしたテレビ番組はいまだありません。世界初のサウナ専門レギュラー番組といえばおそらく、リトアニアの民放局で2014年から放送が続く名物番組**"Vantos Lapas"**でしょう。

いっぽう、日本初のサウナ特化テレビ番組は、BS朝日で2019年3月に60分の単発番組として放映され、SNS上での愛好家たちの反響や声援が後押しして2020年にレギュラー番組化した**「サウナを愛でたい」**でした。サウナ好きで知られる音楽クリエイター**ヒャダイン**さんと、「ととのった」という言葉の生みの親であるサウナブロガー**濡れ頭巾ちゃん**、さらに女性愛好家代表として不定期に**壇蜜**さんが、日本各地の個性あるサウナ施設を訪問し、サウナ室に限らず施設の何気ないこだわりを徹底的に〈愛でる〉という、ドキュメント・バラエティ番組です。

また2019年4月には、MRO北陸放送で日本初サウナ専門のラジオ・YouTube連動番組**「マグ万平ののちほどサウナで」**が放送を開始します。MCを務めるのは、現在業界のインフルエンサー筆頭格として愛好家たちに支持される、サウナ大好き芸人の**マグ万平**さん。サウナ業界を牽引する有名人から、施設の名物スタッフや愛好家までを毎回ゲストに迎えて、その活動やサウナへの想いを掘り下げる対談番組です。定期的に全国のサウナ施設を巡るロケ企画も挟み、2020年2月には、フィンランド・サウナ紀行の特別編もテレビで放映されました。

柳橋弘紀（やなぎばし・ひろき）
フリーランスのプロデューサーとして数々のテレビ・インターネット番組を手掛ける。サウナ関連では「サウナを愛でたい」（BS朝日）、「マグ万平ののちほどサウナで」（MRO北陸放送）、「サウナーーーズ」（WOWOW）など。

2021年現在、サウナに特化したメディア・コンテンツはますます増え続けています。ですが、先述した二つの先駆けサウナ番組で指揮を執り、施設と愛好家が主役の「サウナ・ドキュメンタリー」という異色ジャンルを最初に確立させた番組プロデューサーこそが、**柳橋弘紀**さんです。

●実体験の衝撃から生まれた挑戦的な番組テーマ

柳橋は、業界指折りといわれる本数の番組制作に携わる売れっ子プロデューサーで、それだけの担当番組を抱えて一体いつ寝る時間があるのかと常に周りが心配するほどです。

ところがSNS上での彼は、ほとんど毎日どこかのサウナ施設に通う様子をTwitter上で発信し、一般の愛好家とも気取らず交流や情報交換に勤しみます。手がけるサウナ番組の告知も自ら行ない、視聴者が番組の感想を投稿すれば、欠かさず目を通して、即座に「いいね」やリツイート。おそらく人並み外れた器量と要領の良さで本業をこなしているのでしょうが、そうだとしても説明がつかないくらいに、Twitter上の柳橋は「日々サウナのことだけを考えているサウナ狂おじさん」にしか見えないのです。

2001年に大学を卒業し、学生時代からテレビで夢中になっていた芸能人の圧倒的なタレント性に憧れて、柳橋は番組制作の業界に入りました。華やかな現場でしばらく下積みを重ねたあと、早々に独立。声のかかる番組プロジェクトを片っ端から渡り歩きながら、各放送局の番組企画公募にも寝る間を惜しんで果敢にアイデアを出し続けました。

そうして人一倍働き続け、さまざまな番組に携わるうち、柳橋は自身の趣向の変化に気づき始めます。例えばどこかで目立たないながらも社会を支える仕事に就く人や、駅までの歩道で目につく植物。端的にいえば、エンタメの世界を面白くするために存在するわけではないモノや現象や人の営みこそが、面白い番組テーマになるのではと感じるようになっていたのです。

そのような地味でニッチなテーマは、映像メディアの王道、地上波放送の番組案としては企画が通る可能性は高くありません。そこで彼は次第に、BS放送やラジオ、インターネット番組まで、自分がやりたい企画との相性が良いプラットフォームを自由自在に訪ね回るようになりました。その結果、「ありそうでなかった」ユニークなテーマや切り口の番組を次々に実現し、業界でいっそう注目を集めるようになったのです。

そんな柳橋が、前代未聞の「サウナ」をテーマにしたドキュメント番組を構想し始めたのは、知人の勧めで何気なくジムのサウナをはじめて体験し、それがあまりに心地良かったから……という、実にありふれた実体験がきっかけでした。サウナや水風呂の気持ちよさに純粋に衝撃を受け、翌日すぐにマンガ『サ道』を読破。自らが体験したサウナの心地良さがさらに理屈で

(上)サウナでの撮影現場 カメラにとって悪条件なサウナでの撮影も温度や湿度はそのままで決行する
(右中)水風呂からの指示 「マグ万平ののちほどサウナで」撮影現場の様子 ©MRO北陸放送
(右下)演者の接写 汗ばむ姿で臨場感を伝える
(左下)自宅サウナの前に立つ柳橋弘紀 ついに自宅にマイ・サウナをつくりご満悦

裏づけられたことで、一気に虜になってしまったのです。

「それまでは、なんなら寝るときさえも、スマホを握りしめている生活だったんですよ。けれどサウナは、スマホや仕事から強制的に身を隔離してしまう。そのことに少し落ち着かなさもあったけれど、それよりもあの気持ちよさを求めて1日に何度でも入りに行きたくなっちゃう。ハマった当初は、仕事の合間を縫って都内から静岡市内の**サウナしきじ**に2往復する日もあったくらいです！」

それまで疑問も挫折もなく仕事だけに人生を捧げてきた柳橋は、サウナの中毒的な心地良さを知った直後から、はじめて自らワークライフバランスも大転換させました。いまも変わらず業界有数の多忙人ですが、以前よりは担当コンテンツの本数を意図的に減らし、浮いた時間をサウナに注ぎ込むようになったのです（最近はついに自邸にもサウナを建ててしまったそう）。

しかし、普段から番組のネタ探しに明け暮れているワーカホリックな彼が、ことサウナに関しては意外にも、ハマってからしばらく経つまで「番組にしてはどうか」などと考えもしなかったといいます。それくらいサウナは、柳橋を仕事から引き剥がしてしまう〈別世界〉なのでしょう。

実際、社会人になってからの柳橋は仕事があまりに忙しすぎて、20年近く趣味と呼べるものがなかったそうです。新しい番組の企画も、常に自身の日常の外界から題材を探し出してきました。けれどサウナという新テーマは、はじめて自分自身がその魅力をどっぷり体感し、「この気持ちよさを知って、もっとたくさんの人にハッピーになってもらいたい！」という内なる衝動から生まれたものでした。だからこそ、企画への熱意は格別でしたが、映像メディアでサウナ浴の番組を実現するには、特有の課題やチャレンジも多かったと振り返ります。

●ありのままの撮影映像でリアルな温度感を伝える

第一に、（サウナ未体験の）視聴者が、共感の源になる感覚体験をまったくもちあわせていないという前提です。例えばグルメ番組がどんな時代でも世代を超えて観られ続けるのは、ほとんどの視聴者に「味わう」という行為の喜びや楽しさがすでに備わっているからだと、柳橋は説明します。映像メディアで匂いや味は伝えられませんが、視聴者は過去の実体験をもとに、無意識にその魅力を想像で補えるからこそ、観て楽しむことができるのです。サウナは、視聴覚情報では魅力が伝わりづらい上に、個々人の実体験でも補われないとなると、どれだけ一方的に気持ちよさを誇張しても、視聴者がまったく没入できないリスクを伴います。

それから、出演者が否応なしに裸に近い格好になることから、卑猥さやルッキズムと明確に一線を画す〈健全な〉表現を徹底しなければなりません。さらに、さまざまなサウナ施設を取り上げる以上、施設経営者などメディア慣れしていない一般人から面白さや魅力を引き出す手腕も求められます。

ですがこれらの特別ミッションには、柳橋がこれまでの百戦錬磨のプロデューサー業で蓄積してきた経験と、そこから得たある達観によって、おのずと最適解が導かれたようでした。それは、「そこにあるものをフラットな目線で見つめ、できるだけ色を付けずに表現することでしか生まれない共感や面白さがある」ということです。

例えば柳橋は、サウナ室内での撮影においても、前もって温度を下げて撮るということはしません。映像で温度が伝わらないからこそ、演者の火照った肌ににじむ本物の汗や表情の変化を、ぐっと寄ってそのまま映像に収めるのです。その代わり、たとえ演者がサウナの熱や冷たすぎる水風呂に耐えかねて短時間で飛び出したり、外気浴のあまりの心地良さで気の利いたコメントが出てこなかったとしても、決して無理強いもしません。むしろその素直な反応こそ、サウナという特殊環境のリアルな温度感やフィーリングを視聴者に伝えるチャンスと捉えているからです。同様に、施設の椅子や備品の定位置を、アングルや見栄えの良さといった撮影側の都合を優先して動かすことも、絶対しないと決めているのだそうです。

これまで柳橋と国内百箇所以上のサウナ施設でロケを行なってきたマグ万平は、本業は、声を張ってオーバーリアクションをとり、笑いを誘うコメントが求められる現場の多い「芸人」です。けれど柳橋は最初の打ち合わせで、「サウナのありのままの心地良さを伝えるためには、大声を出す必要も過剰なリアクションをとる必要もない」と、彼に念を押してくれたそうです。このとき、本当にサウナが好きな者同士なら感性も理想も同じだとわかり、はじめから信頼して挑めたとマグ万平も話していました。

番組では、マグ万平がサウナで〈ととのう〉ほど表情が柔和になるいっぽう、芸人のイメージに反して口数が少なくなります。その異色のくだりもサウナ番組ではむしろ視聴者の共感を呼び、彼の素直な言動や表情をサウナの魅力のバロメーターと

フィンランドでの番組ロケ フィンランドのサウナ紀行番組も実現

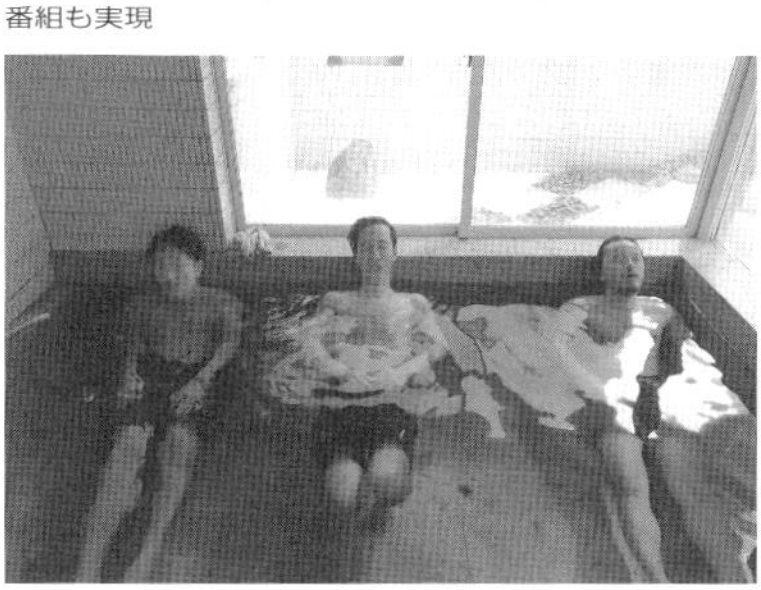

撮影後の入浴タイム ロケ終了後はスタッフとサウナを楽しむ

して注視する視聴者もいるほどです。ちなみに、柳橋はいつも撮影終了と同時に即脱衣してスタッフと一緒にサウナを楽しみ始めることも、マグ万平がこっそり教えてくれました（笑）。

●居心地の理由を掘り下げれば、こだわりが覗く

柳橋自身、当初はより気持ちよく〈ととのう〉ためのサウナ浴のメソッドや設備のスペック（サウナのタイプや水風呂の温度など）に重きを置いていました。ところが、撮影やプライベートで全国数多の施設を訪ね歩くうち、サウナ通いの楽しみの本質は別にあると気づいたそう。それは、一言でいえば施設の〈居心地〉だと話します。つまり、それぞれのサウナ施設のオーナーやスタッフが、客の居心地の良さを高めることだけを真剣に考え続け、どれだけさまざまな心遣いを形にしてくれているか……その途方もないホスピタリティの精神に気づいた上で、施設の細やかなこだわりやサービスにも癒やしてもらう、ということです。

もちろん、サウナの立地や規模やスペックも客の満足度を左右する重要な要素ですが、サウナ施設の魅力は決してそれだけではありません。食堂や休憩室にまで行き届いたサービスの数々、館内の清潔さ、スタッフの笑顔、ディスプレイの定期的な模様替え、ちょっとした備品のありがたさ……。居心地の良さを感じるサウナ施設には、些細だけれどかゆいところに手が

「マグ万平ののちほどサウナで」　月に一度、芸人のマグ万平と女優の清水みさとが話題のサウナ施設をレポートする企画が人気
©MRO北陸放送

届くような、思いがけないこだわりが散りばめられているものなのです。

だからこそ、入店から退店までの時間すべてを使い、宝探しのようにこだわりを見つけて〈愛でる〉ことこそが、日本サウナの醍醐味だと柳橋は強調します。彼が開拓したサウナ・ドキュメンタリーという新ジャンルはいわば、日本人ならではのこだわりやもてなしの精神が生む、サウナの魅力とその味わい方のヒント集です。それはきっと、日ごろから人の想いや熱意に人一倍敏感なサウナ愛好プロデューサーだからこそ、いつまでも新鮮味とリアリティを失わずに撮り続けることができる世界なのでしょう。

「サウナを愛でたい」 音楽クリエイターヒャダインとサウナブロガー濡れ頭巾ちゃんが全国のユニークなサウナ施設を巡り、浴室はもちろん「サウナめし」(サウナ上がりにオススメの食堂メニュー)も紹介 ©BS朝日

3

SAUNA × DIGITAL

サウナイキタイ

サウナ施設検索サイト

人それぞれの楽しみ方を応援する、数値評価から解放されたポータルサイト

サウナとデジタル社会は、本来あまり相容れない者同士です。そもそも序章では、サウナは「希少なデジタルデトックスの場」だからこそ、現代人にとって貴重なのだと書きました。施設への入館後は、基本スマホには触れません。それゆえ、サウナ施設の最新情報は世に出回りにくい……というデメリットも長く解消されませんでした。平成後期においてすら、最新の情報収集のために何千件もの施設に電話確認を行なっていた武勇伝をもつ愛好家がいるほどなのです。

　ところがいまや、今日はどこの施設に行こうかと考えるときには皆、真っ先にスマホで検索を始めます。印象的なサウナ体験をＳＮＳですぐさまシェアすることが日常化している愛好家も少なくないはずです。

　大っぴらにコミュニケーションをとりづらいサウナ室の「外」で、全国の愛好家たちと施設情報や体験を共有し、こころ置きなく盛り上がれる場所。そんな、現代の愛好家が長年待ち望んだデジタル・プラットフォームをサウナ業界に差し出してくれたのが、２０１７年11月にリリースされた日本最大のサウナ施設検索サイト、**サウナイキタイ**です。

　サイトの利用は、掲載情報の閲覧だけなら非登録でもＯＫ。無料ユーザー登録を行なうと、訪問施設の口コミを投稿しあう「サ活」に参加でき、さらに日々のサウナ訪問記録や月間の統計を可視化できます。

　また、「トントゥ」という独自のポイント贈与制度もあります（トントゥはフィンランド・サウナの守り神の名前）。サ活を書くことで貯めたトントゥは、施設の優待券などが当たる月例抽選会の引換券として利用。あるいは、有益な口コミの執筆者に感謝の意を込めて贈ることができます。投稿やトントゥ制度を通じて、全国各地の顔を知らないサウナ愛好家たちと繋がり、ゆるく交われるという点では、サウナイキタイは一大ポータルサイトであると同時に、ソーシャルメディアとしての役割も十

サウナイキタイ
4人のサウナ好きエンジニア集団が2017年に立ち上げた全国サウナ検索サイト。ストーブのタイプや水風呂の平均温度まで検索可能。ユーザーが訪問記を投稿するサ活も活発。数々のオリジナルグッズや企業コラボも手掛ける。

分果たしています。

検索機能においては、地域や施設カテゴリーはもちろんのこと、なんとサウナ室や水風呂の平均温度、サウナストーブのタイプ、水風呂の深さ、各アメニティの有無などからも絞り込みができます。施設情報の新規登録や更新は、すべて登録ユーザーの任意のデータ入力に委ねていて、データ更新に貢献するとさらにトントゥが貯まる仕組みです。

序章でも示しましたが、2021年9月末時点で、非登録者を含めた月間利用者数は79万3030人、全国の登録施設数は9500軒を超えています。今日いかに多くのサウナ愛好家が、サウナイキタイを日々のサウナライフの拠りどころとし、サウナ浴の時間外にも、デジタルの世界でサウナへの好奇心を満たし続けているかは、もはや誰の目にも明らかでしょう。

●開発者2人の取り柄が融合した、スマート&脱力系サイト

無駄や使いづらさを感じさせない頼もしいシステムが、ゆるくて楽しいビジュアルを纏っている……その絶妙な相乗効果で万人受けしているサウナイキタイ・サイト。実は、2人のサウナ愛好家の出会いによって「偶然に」生まれたものでした。

『サ道』ブーム前夜の2015、6年ごろからサウナに目覚めていた**かぼちゃ**さんと**あり**さん。2人はともに本職がITエンジニアで、それぞれに、ウェブ上でサウナ施設の最新情報が集めにくい現状にヤキモキしていたそうです。そして2人ともが、ならば自分でつくってしまおうと思い立ち、仕事の片手間に「サウナ施設検索サイト」をコツコツと構築していたのでした。この時点では、彼らはまだ互いに面識すらありません。

彼らが出会ったのは、Twitterを通じて知り合ったサウナ好き数名による、当時珍しかった愛好家オフ会の場でした。東京都台東区にあるサウナ付き銭湯**ひだまりの泉 萩の湯**にて初対面同士でサウナをともにし、入浴後は併設の食堂で和やかに情報交換会。宴もたけなわというときに、パソコンを手にしていたありが、不意に目下作成中の検索サイトを披露したのです。

驚いたかぼちゃが、実は僕も……と名乗りでたとき、一瞬だけ「お前もか!」というライバル心がぶつかり気まずい空気が流れたとか(笑)。ところが、2人はライバルどころかあらゆ

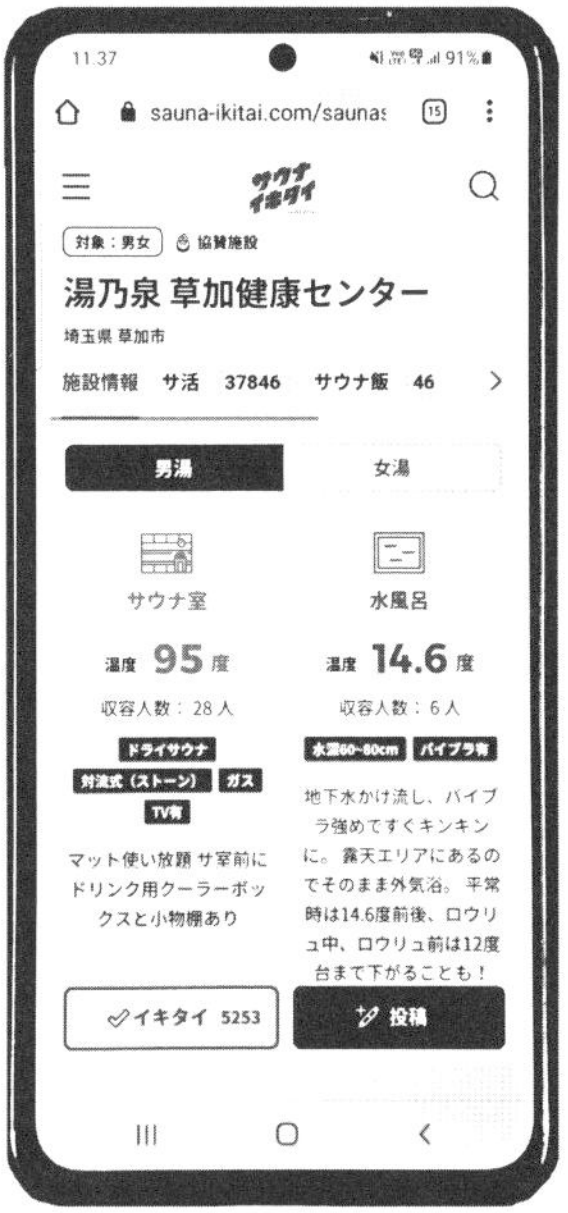

サウナイキタイの施設情報ページ　日本人が重視する水風呂の情報まで充実

トントゥ　フィンランドのサウナの守り神がモデル　提供：サウナイキタイ

る面で相性抜群の「未来の相棒」同士だったのです。

　進捗を見せあい、互いの思いやコンセプトを探りあってみると、ウェブサイトづくりの専門性において2人の関係はまさに凸と凹。かぼちゃはフロントエンド、すなわち人の気を引くビジュアル・デザインに長けた反面、複雑なシステム構築はやや専門外でした。いっぽうのありは、バックエンドと呼ばれるシステム設計には自信があったものの、大衆受けするデザイン作業のほうに苦手意識があったのだといいます。

　事実、初対面の時点でありがほぼ仕上げていたユーザー投稿型の情報収集システムと、かぼちゃが大方完成させていた鮮やかなブルーカラーを基調としたキービジュアルは、すでに今日のサイトの二大原型そのものでした。つまり、それぞれの原型を融合させ、さらにサウナ好きエンジニア**ゆかり**さんと**ひぎつね**さんをチームに迎えて一気に実用化させたのが、今日のサウナイキタイだったのです。

　2人の間の見事な「凸と凹の関係」は、本業スキル以外においても顕著でした。例えば、何事も理論派のありに対し、かぼちゃは直感的に人のこころを掴むのが得意。サイトに載せる文面を考えるときも、ありの思慮深く硬派な叩き台をかぼちゃが柔らかく練り、ゆるくなりすぎたらまたありが手を加えて……というように、二人三脚で良い塩梅を探ってゆくのです。

　サウナイキタイといえば、愛好家にはおなじみの、右肩上がりにふんわり揺らぐロゴも秀逸。当初は、とにかくサウナに行きたい！　という欲求をストレートに表す直線的でシャープなデザインに決まりかけていたものの、話し合いの結果、サウナ後のゆるんだ心地を反映させることにしたといいます。

　このロゴを皮切りに、以後サウナイキタイのグッズやキャラクターのデザインには、彼らの考えるサウナ浴の醍醐味である〈心地良い脱力感〉が投影されるようになりました。サウナグッズ市場（125ページ参照）の項目でも触れましたが、今日サウナ業界全体で「ゆるくてコミカルでレトロ」なロゴグッズに高い需要が生まれているのは、独創的なノベルティグッズの制作販売でも人気を誇るサウナイキタイが意図せずとも牽引してきた〈モード〉だといっても、過言ではないでしょう。

●数値評価の代わりに、人それぞれの価値基準を尊重する

　2人にとって役割分担の相性も重要でしたが、それ以上に双方が「この人となら手を組める」と確信する決め手となった、ある共通の理念がありました。それは、「ユーザーに数値評価を求めないサイトをつくる」ことです。

(上)"サウナ・水風呂・外気浴"ポスター　全国のサウナ施設に掲示されるサウナイキタイ監修ポスター。モデルはサウナ好き女優の清水みさと
(中)サイトのサーフェイス　水風呂を象徴する爽やかなブルーカラーと右肩上がりに揺らめくロゴ
(下右)ストップ坊や　水風呂前のかけ水をコミカルに啓発するステッカー
(下左・中)ノベルティ・グッズ　Tシャツやキーホルダーから、サウナマット地のコースターまで　すべて提供:サウナイキタイ

レストランや書籍、宿泊施設など、身近なレビューサイトを思い浮かべてみてください。皆さんは真っ先に、その商品やサービスに［★］がいくつ付いているかに目を向けるのではないでしょうか。サウナイキタイ同様、ユーザーの投稿やデータ入力で成り立つ検索サイトはあらゆるジャンルに存在します。ですがその大半が、学校の通信簿のように、投稿者たちの総合評価の平均値をはっきり可視化することに重きを置いています。

ところが、出会った当初からかぼちゃもありも、その数値評価システムをサウナ施設の検索サイトには持ち込みたくない、という強い思いを抱えていました。なぜなら、サウナの良し悪しはまさに「人それぞれ」だから。熱々のサウナが好きな人もいれば、マイルドな温度を好ましく思う人もいる。外気浴スペースの雰囲気にこだわる人もいれば、スタッフのホスピタリティで施設の印象を決める人もいます。つまり、他者の価値基準は必ずしも自分にあてはまりません。

だからこそ、サウナ検索サイトでの施設評価は、各々の表現の自由に委ねた口コミレビューだけにとどめておく。その代わり、あらゆる愛好家の趣向に徹底的に対応できる検索機能を実装し、「誰もが自分の楽しみ方にあったサウナ施設を見つけられるサービス」に特化しよう、という意思が合致しました。

同様に、ユーザーに対しても序列や優劣をつけない（ユーザーが人の目を気にする必要がない）ことにもこだわっています。利用頻度や課金に応じた会員ランクもありませんし、各人のフォロワー数なども他者から一切見えません。

「フィンランドのサウナ文化でよく語られる、〈サウナのなかでは誰もが平等〉という理念に、僕たちは強く感化されています。他者の目や評価を気にせず、誰もが自分らしく楽しめる。サウナもサウナイキタイも、そういう多様性が許される場であってほしいと常々思っているんです」

●四方よしのプロジェクトにはとことん尽くす

サイト運営を始めて以来、ユーザーたちの積極性と同じくらい彼らを驚かせているのは、施設側のレスポンスだといいます。近年は、「サ活」に書き込まれるユーザーの率直な施設の感想に前のめりに反応し、施設サービスの改善に繋げようと動く店舗がとても多いのだとか。折に触れて、全国の施設から「リアルなフィードバックやスタッフのやりがいに繋がるコメントがいただけて、本当に感謝しています」との声が届くそうです。

さらに昨今は、広報活動に手が回っていなかった地方の小さなサウナ施設にも、検索にヒットしてふらっと立ち寄るお客さんが着実に増えています。愛好家の行動力で全国にある無名の施設もデータ登録され、情報が共有されるようになった……その恩恵を受けているサウナの数は計り知れません。

ブームのさなかに絶大な影響力をもつようになったサウナイ

キタイには、日々多くの企業コラボ案件も舞い込みます。彼らとのプロジェクトが実現するかどうかはいまや抽選に当たるほどの確率ですが、もちろんその実現の可否にも、ぶれない判断基準があります。

それは、企業とサウナイキタイに加え、施設とサウナ愛好家(や未来のサウナ客)の四者にとって意義や幸せを感じられるプロジェクトかどうか、ということ。とりわけ、決して楽ではない運営に携わり、日々わたしたちを癒やしてくれている施設へのメリットの還元を重視し、企業と一緒に企画を練るのだといいます。

例えば「サウナ後の水分補給」というニーズとの合致で始まった**大塚製薬株式会社**の商品「イオンウォーター」とのコラボでは、「水曜サ活」というフレーズを打ち立て、多忙な平日の中日にあたる水曜日に発汗と水分補給でひと休憩!という新しい価値観を生みました。その結果、業界としても水曜日の利用者が増加したそうで、イオンウォーター販売店舗も増え、まさに誰もがハッピーになれる結果をもたらしたのです。

「いちサウナ愛好家として僕たちが今後も続けたいのは、サウナの間口をさらに縦にも横にも拡げてゆけるような、環境の整備ときっかけづくり。そのためのアイデアはまだ山ほどあるので、楽しみにしていてください!」——サウナ後のようなゆるくて穏やかな空気感を纏いながら、デジタル・ネットワークのさらなる可能性に熱く思いを馳せるかぼちゃとあり。今後も双方の強みを絶妙に練りあわせながら、日本サウナの多様な楽しみやワクワク感をさらに波及し続けてくれそうです。

サウナイキタイ運営メンバー かぼちゃ、ありを含む4人のサウナ好きエンジニア集団で開発や運営を手掛ける
提供:サウナイキタイ

4

SAUNA
×
HANDCRAFT

たる／SAUNA HAT FACTORY

サウナハット工芸家

名刺代わりのサウナハットで、裸のコミュニケーションの背中を押す

たる
本業のかたわら2019年に羊毛サウナハット・ブランドSAUNA HAT FACTORYを立ち上げ、個人で制作販売に励む。成形や色彩の美しさが話題を呼び、サウナ施設やサウナイベントで新作を販売するたびに即完売する人気ぶり。

フィンランドのサウナ室では、意外に見かける機会の少ないサウナハット。これが例えばロシアの公衆サウナ（バーニャ）だと、被らない人はほとんどいません。バーニャはときに頭皮や耳の激痛を伴うほどに熱いので、確かにサウナハットがないとやり過ごせないなと現地で痛感したものです。

日本のサウナでも、近年は驚くほどにさまざまな素材や色柄のサウナハットが流通し、サウナ愛好家たちのトレードマークのひとつになっています。とくに屋外でのサウナイベントに集う愛好家たちは、ほぼ必ず自慢のマイ・サウナハットを被って参加します。普段のファッションには絶対取り入れないであろう、奇抜な色や形状のハットを恥じらいなく被る人も少なくありません。

確かにフィンランドよりは相対的に温度の高い日本サウナ。それでもハットがないとやり過ごせない、というほどではありません。日本人が、一体なぜそこまでサウナハットを重要視するのかも気になりますが、そもそもまず、皆どこからそんなに個性豊かなハットを入手しているのでしょう？

●所有者の個性や好みを表現した、世界でひとつのハット

まず多くのサウナ施設が、店頭でロゴ入りハットを販売しています。さらに、ウェブ検索してみると選択肢がありすぎて悩むくらいに、数多のメーカーや個人作家がオリジナルのハットをECサイトに出品しているのがわかります。今治タオル地を使用した上質ハットの制作や、人気帽子ブランドがモード系サウナハットを手掛けた事例もあります。また、器用に自作する人も意外に多く、羊毛フェルトを使ったサウナハットの制作講習会は、サウナイベントのコンテンツとしても人気です。

そんなサウナハット激戦時代に、手仕事の芸術性や細やかさが抜きん出た「手づくり羊毛サウナハット」の小さなブランドが、界隈で注目を集めています。**SAUNA HAT FACTORY**と名

お茶がテーマのサウナハット　イベント販売用につくったテーマ作品群。撮影場所は杉並区高円寺にある銭湯、[小杉湯]の浴場

乗る、ハットを被ったキュートな羊がトレードマークの、サウナハット専門の仕立屋さんです。ECサイトを通じた新作の販売に加え、定期的にイベント出店用や施設での店頭販売用の作品を受注し、余裕があれば個人オーダーにも応えています。

SAUNA HAT FACTORYを運営する手工芸作家の**たる**さんは、会社員としての本業のかたわら、作品制作から発送作業までをひとりでこなしています。2019年6月のブランド立ち上げ以前からつくり続けてきた習作を含めれば、ハンドメイド・サウナハットの数は300を超えるといいます。そしてその一つひとつは､完全に一点物。「ストライプ」や「まだら」などの定番パターンは色違いを増産することもありますが、まったく同じ色とパターンの作品はつくらないと決めています。

副業である上、シンプルなデザインの作品をひとつ完成させるだけでも最低3時間はかかるため、大量生産はできません。彼が不定期にまとまった個数の新作をECサイトやイベントで売り出すたび、あっという間に完売してしまいます。

SAUNA HAT FACTORYがつくるハットの人気の秘密は、フィット感が良く審美性も高い立体フォルムと、色柄の表現の自在さです。実際に挑戦するとわかりますが､天然の羊毛を使って思いどおりの形やパターンを実現するのは、素人にはとても難しいのです。けれど､たるの作品はどれもある意味で工業製品のように緻密で正確ながら、自然素材を完全手作業で加工するからこその､柔らかで有機的な風合いを宿しています。質の良い国産羊毛を何層にも重ねてフェルト化してゆくので、断熱性や撥水性にも優れます。羊毛のハットは他素材に比べて洗濯しにくい（洗うと縮みやすい）という短所がありますが､それもサウナという営みと相性の良い自然素材の証。だからこそ丁寧に手入れして長持ちさせようというモチベーションにも繋がります。

新規オーダーが入ると、たるはまずラフスケッチを描いて客とイメージを共有します。オーダー客のほうから具体的なイメージを言葉やイラストで伝えてくることも多いそう。実は筆者も以前に、「フィンランドの森の地表」をテーマにしたマイハット制作をお願いしました。彼は本物のフィンランドの森に足を踏み入れたことはありませんが、筆者が見せた数枚の森の写真と口頭での描写をもとに想像力を膨らませ、すぐにアイデアをスケッチに起こして見せてくれました。

無事にフィンランドに届いた完成品は、すぐにあちこちの公衆サウナで被ってフィンランド人たちに自慢したくなるくらいに惚れ込む出来映え！　幻想的な配色は、地衣類や苔で覆われた夏の森の足元の雰囲気そのものです。筆者がベリーときのこ狩りマニアだと話していたので、縁にはブルーベリーとポルチーニ茸の刺繍がさりげなく施され、アイデンティティを示してくれています。芸術的で、同時にとても丈夫で実用的。個人的な思い入れを宿すサウナハットがいかに日々のサウナライフを楽しく彩ってくれるのかを、身をもって実感しています。

●趣味と趣味をかけ合わせた小さな隙間に、ニーズを見出す

大学でインテリアデザインを専攻したたるは、一般企業に就職してからも趣味の分野でその感性や手先の器用さを発揮し、フェルト製のぬいぐるみをつくって妻にプレゼントし続けるなど、ものづくり全般を楽しんでいました。いっぽう、彼がサウナの心地良さに目覚めたのはそれよりもう少し早い、高校生のころ。学生時代は近代的なスーパー銭湯によく通っていましたが、異動を機に上京してからは、伝統的な銭湯を巡って風呂やサウナを楽しむように。家族と建てたマイホームには、念願の自宅サウナも設置しました。

ちょうど世間的にもサウナブームが高まりを見せ、サウナに関するイベントや出版物も増えていた２０１８年に、たるはサウナハットづくりを始めるきっかけとなる１冊の本に出会いました。それは、今日のサウナ普及の第一人者**タナカカツキ**さんと、関西を拠点にサウナイベントを主宰するイラストレーターの**ほりゆりこ**さんの共著『はじめてのサウナ』（リトルモア）という作品で、初心者にサウナ浴の醍醐味や作法を伝えるための大人向け絵本のような作品です。

そのカバーの見返し部分に、ほりが以前から実践している羊毛サウナハットのつくり方が、イラストとともに掲載されていたのです。これを目にしたたるは、サウナハットづくりなら、自身のものづくりのスキルと大好きなサウナ浴とが結びつくと思い、さっそく見様見真似でやってみることに。

サウナ愛好家たちの日々の情報交換や交流には、検索サイトのサウナイキタイに加えて、Twitterがメイン・プラットフォームとしての役割を果たしています。ヴィヒタ（１６５ページ参照）のイラストアイコンでアカウントを運用していた彼は、つくり方の基本を習得してはじめての作品に、ヴィヒタの葉をあしらったデザインを選びました。

実はたるはもともと、初対面の相手と口述でコミュニケーションをとるのが少し苦手なのだといいます。ところが、この個性的なヴィヒタ・ハットを被ってとあるサウナイベントに参

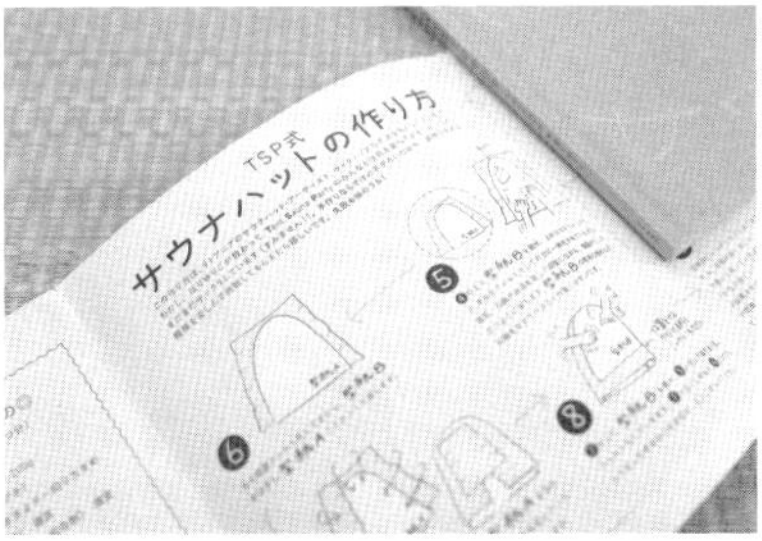

『はじめてのサウナ』裏表紙　たるが最初に参考にしたサウナハットの作り方　刊行：リトルモア

ヴィヒタを模したハット　たる自身のTwitterアイコンから着想を得た処女作

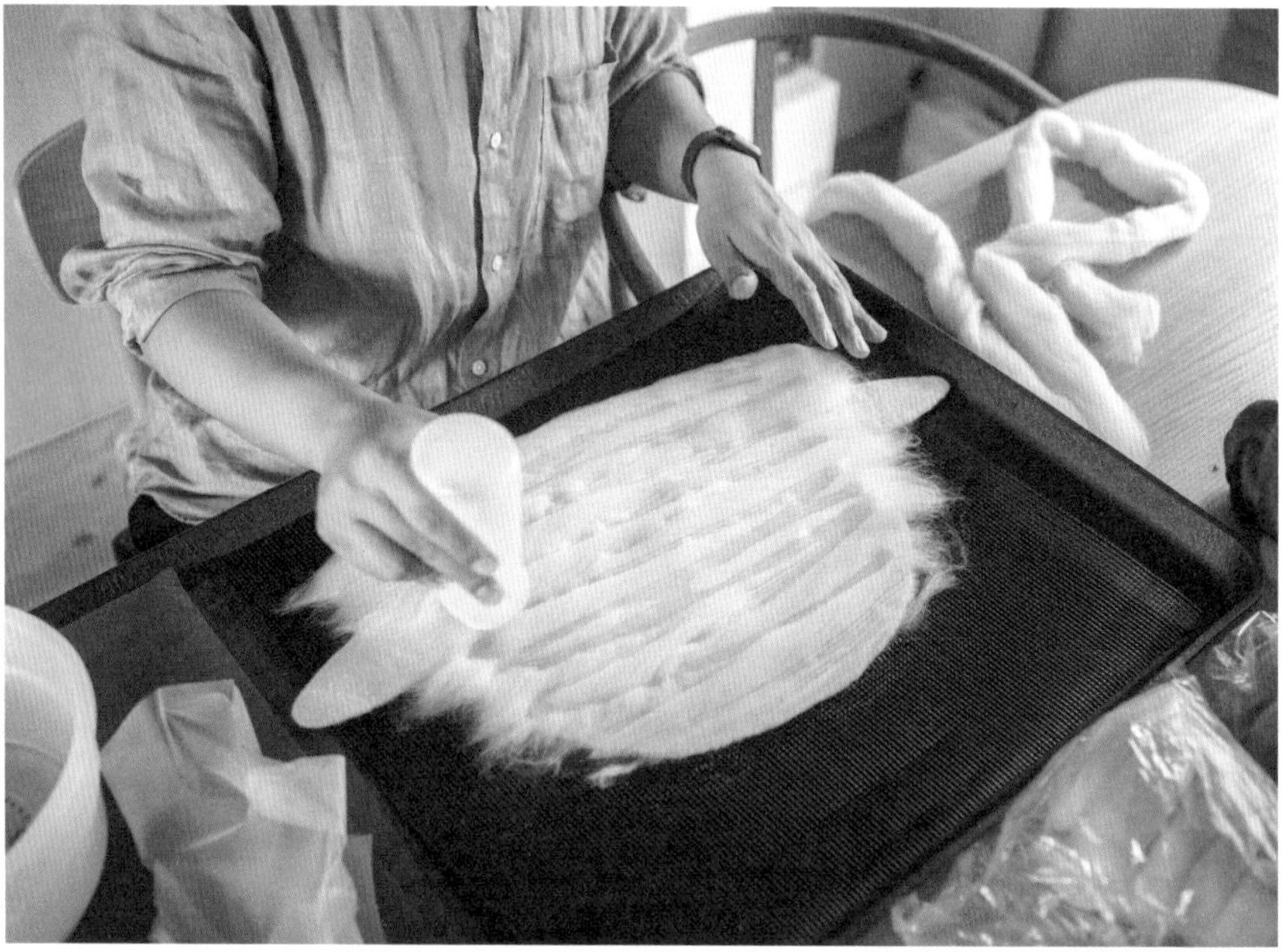

(上)サウナハットの制作過程　少量ずつ羊毛のヴェールを重ねて厚みと色彩感を出してゆく
(中)オーダーメイドハットづくり　筆者が送ったフィンランドの森の写真を参考にたるが色柄を考案
(下)フィンランドの森柄ハット　夏のフィンランドの森の地表がイメージされたオリジナルハット
サウナでの活用　筆者自宅のサウナで早速使用。頭が熱くならず心地良い加したとき、多くの参加者が気さくに話しかけてくれたのだとか。彼はこの経験から、サウナ愛好家の間では、自分らしいサウナハットが何よりのコミュニケーションツールとなることに気づきます。

以来彼は、身近なサウナ友達のために、その人の個性や好みに合わせた一点物のハットをつくり、プレゼントするようになりました。制作を重ねることでスキルが上がって独自のメソッドも確立でき、何より自分が想いを込めて制作したハットを喜んで活用してくれるのが嬉しくて仕方なかったといいます。

そのように、しばらく個人的な趣味としてつくり続けていたたるのハットが、のちに思いがけない人物の目に止まりました。かつて自身にサウナハットをつくるきっかけを与えてくれた『はじめてのサウナ』著者のタナカです。たまたまとあるサウナイベントでタナカとはち合わせたとき、彼はたるのサウナハットを絶賛し、「きちんと商品化してイベントで販売してはどうか」と提案してくれたのです。こうして、タナカに2度目のターニングポイントを与えてもらったたるは、迷いなく自身のサウナハット・コレクションをブランド化し、SAUNA HAT FACTORYの名で本格的な制作販売を始めました。

●サウナハットを、被るコミュニケーションツールに

SAUNA HAT FACTORYの誠実で個性豊かな一点物にこだわるブランド精神には、「自分だけのサウナハットがコミュニケーションツールになる」というたるの当初の直感が反映されています。そしてその価値観が、今日のサウナ愛好家たちの共感を生んでいるのは明らかです。例えば、オーダーしたハットには名前やTwitterのアカウント名を刺繍してほしい、という

一点物のハットたち　サウナ施設のイチゴフェアとコラボ　提供：Spa LaQua

追加リクエストが多いといいます。つまりサウナ愛好家たちは、たとえサウナで脱衣して何者でもなくなったときでも、さりげない自己アピールや名刺代わりにハットを被ることで、同じ趣味をもつ他者とのゆるい繋がりを求めているのです。

　コロナ禍のサウナは、すっかり他者と喋りづらい雰囲気ができあがってしまいました。それでも、ドラマ版「サ道２０２１」（シーズン２）で描かれていたように、目配せやジェスチャーで、新しいサイレント・コミュニケーションをとる人はいます。また、いまなおサウナハットを被る人が増え続けているのは、個々人がまったく他者の目に関心がないわけでも、他者との繋がりを拒絶しているわけでもないことを、よく表しています。

SAUNA HAT FACTORY ロゴ　サウナハットを被った羊がロゴマーク

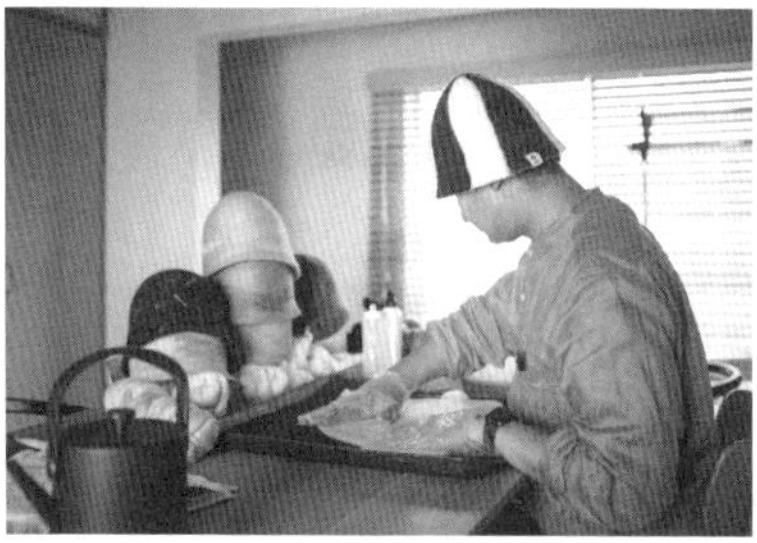

ハット制作に勤しむたる　ひとつのハットを最低3時間かけて完成させる

「日本には古来、頭寒足熱（足元は常にあたため、頭はのぼせないように冷やすべき）という考え方がありますし、日本人の毛髪は西洋人に比べて太く傷みやすいので、熱から頭や髪を守るという意味でも、サウナハットの利用は理にかなっています。さらには、サウナで出会った人たちの自然なコミュニケーションを促す役割もあるのです。SAUNA HAT FACTORY のハットをきっかけに、愛好家同士がもっとお互いに豊かなサウナライフを共有したり、あるいは誰かが新たにサウナの楽しさに気づいたりしてくれると嬉しいですね」

　そう想いを込めながら、たるは色とりどりの羊毛を地道に重ね続けています。

5 SAUNA × ENTERTAINMENT

井上勝正

熱波師

プロレス出身の熱血エンターテイナーが、熱波の力で汗と涙を誘い出す

井上勝正（いのうえ・かつまさ）
元・大日本プロレス所属のプロレスラーだったが、2009年の引退後に横浜のファンタジーサウナ＆スパ おふろの国へ就職。施設の看板熱波師として集客に貢献しつつ、地方の施設にも積極的に出張サービスに赴く。

すでにここまで、数多くの個性的なサウナ施設や楽しみ方を紹介してきました。ですがそれらとは明らかに一線を画す、「熱波」あるいは「アウフグース」と呼ばれるエンタメ型サービスの存在に触れずして、いまの日本サウナを語ることはできません。そして、そのジャンルの立役者とも呼ぶべきレジェンドが、元プロレスラーの**井上勝正**さんです。

十代から体づくりに目覚め、ボディビルディングやパワーリフティングの世界で功績を築いた井上は、32歳のときに縁あって大日本プロレスに入団し、異例の遅咲きプロレスラーとしての人生を歩み始めます。彼は、年齢や小柄な体格を言い訳にしない人一倍の熱血ファイトスタイルを貫き、世代を超えたファンの応援を背に闘い続けてきました。ところが、父の死や身体の損傷を機に限界を感じ、２００９年に39歳で惜しまれながらもリングを降りる決意をします。

守るべき家族もいるなか天職を退き、次に進むべき道を探し焦っていた井上の救世主となったのは、横浜の大型スーパー銭湯**おふろの国**の店長**林和俊**さんでした。林は、業界の刊行紙を発行したり、プロレスやアイドルなどの人気サブカルチャーと入浴文化のユニークな協同プロジェクトを推し進める、異端の事業プロデューサーとして一目置かれる人物です。その彼が、大日本プロレスの社長にかけあい、井上をおふろの国の新人スタッフとして迎え入れてくれたのでした。

林は以前から、プロレスラーとの交流イベントを通じて、井上の一般客とのコミュニケーション能力やエンターテイナーとしての職人芸を高く評価していたのだそうです。突如、無縁の業界に転職を果たした井上は、はじめは深夜の清掃業務に従事していました。ところがある日、林から「熱波師をやってみないか?」という提案を受け、それが何かもよくわからないまま受諾します。この未知なる「熱波」との出会いこそが、格闘の世界から身を引いた井上のセカンドライフと、日本のエンタメ・

サウナ業界を揺るがすことになります。

●熱波サービスのエンタメ性は、サウナ施設の一大求心力

熱波とは、サウナストーブから噴き出す蒸気（ロウリュ）の対流熱をタオルで仰いで撹拌し、入浴者側へ仕向けるメソッドのことです。仰がれて加速度のついた熱気は、人肌に届くときに体感温度と刺激性が高まり、まさに〈熱の波動〉のように知覚されるのです。

このメソッド自体は、１９９０年代以降に全国のサウナ施設で普及し始めました。日本の大型サウナ室では、安全上セルフロウリュを禁止せざるを得ず、蒸気や熱が行き渡りにくいという悩みを抱えていたからです。今日でも、広いサウナ室を有する施設ではスタッフが桶と柄杓とバスタオルを持って入室し、ストーブの石に水をかけるついでに、居合わせた客に熱波サービスを提供します。

通常、熱波サービスを行なうのは施設で清掃や事務業務をこなす一般スタッフです。ところが熱心なスタッフは、自らを熱波師と名乗って自主練習でエンタメ性を高め、音楽や口上でも楽しませたり、まるでイタリアのピザ職人のようなアクロバティックなタオル・パフォーマンスを披露したりします。

このように一部ではショーとも化した熱波は、パフォーマンス力を競う国内大会も生まれ、近年は入浴施設を渡り歩くフリーランス熱波師まで現れています。熱波サービスのオリジナリティや熱波師の知名度は、いまや各サウナ施設の個性の見せどころなのです。

以前から日本の一部の施設では、このパフォーマンスさえも〈ロウリュ〉という名で呼ばれてきました。このため、フィンランド人もサウナでタオルを振り回すと信じている日本人がいまだにいるようです。ですが序章で言及したように、フィンランド語の「ロウリュ（löyly）」は、ストーブに打ち水をして発生させる蒸気を指す言葉でしかありません。

サウナ室内でタオルを使って熱を撹拌するパフォーマンスは、フィンランドではなく、ドイツのサウナ施設発祥の「アウフグース（aufguss）」に端を発します。事実日本にこのメソッドが伝わったのも、１９８０年代に北海道で大型サウナ施設を開業したオーナーらがドイツの大型スパに研修にゆき、サービス内容をそのまま持ち込んだのが最初だといわれます。

こうした事実の是正が進み、２０１９年には、全国の熱波サービスを行なう温浴施設やスポンサー企業が加盟する協会の名称も**日本サウナ熱波アウフグース協会**と改められます。さらに、若い世代の熱波師たちが本場ドイツの施設やアウフグース世界大会に視察に行ったり、プロのパフォーマーを招聘して講習会を開いたりと、今日ではサウナを介した日独間の新たな文化交流も生まれつつあるのです。

(上)井上勝正の熱波サービス　元熱血プロレスラーの迫真の熱波を求めてサウナに通うファンも多い　**(右中)DIYストーブ加熱中**　浴室の一角でガスコンロを使って鍋を加熱　**(左中)DIYストーブでロウリュ**　焼け石が詰まった鍋に水を一気投入　**(右下)熱さに耐える客たち**　人それぞれの表情で熱波に応える　**(左下)熱波サービス後の外気浴**　熱狂後には外のベンチで〈ととのう〉

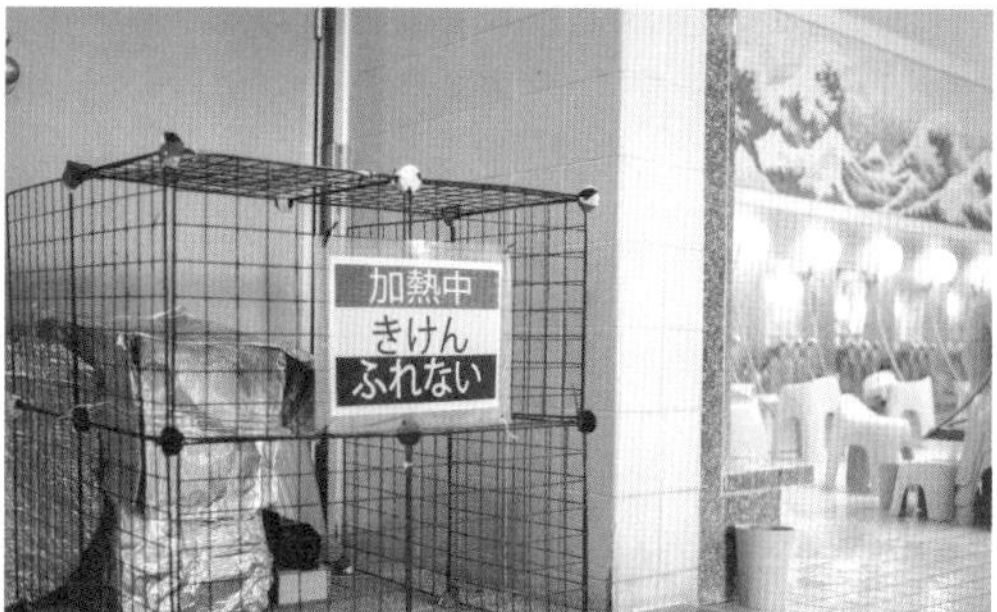

●異文化と誠実に向き合いつつ、独自手法を開拓する

熱波師としての新たな人生を歩み始めた井上のライフストーリーに戻りましょう。彼は当初、格闘技を辞め漠然と募らせていたイライラの発散も兼ねて、とにかく無我夢中でタオルを振り始めました。ところがすぐに、プロレスラー時代からの持ち味である、人並み外れたパワーと耐久力、何事にも誠実かつ全力で取り組まないと気がすまない性分、そして、目の前の客たちを楽しませて上げたいという天性の興行精神が、むくむく復活してきたと話します。

「熱波」という呼び名が広まる以前は、おふろの国でも熱波サービスのことを「ロウリュ」と呼んでいました。ところが、2室ある男性サウナ室の片方には、石積みのフィンランド式ストーブはありません。実際日本では赤外線ヒーターのようにロウリュが不可能な熱源が多いからこそ、前述したとおり、蒸気を発生させずともタオルさえ仰げば〈ロウリュ〉なのだと、誤った拡大解釈を広めてしまう施設が少なくなかったのです。

ですが多読家な井上は、ロウリュは本来蒸気を意味する言葉だと早々に調べ上げ、ロウリュサービスの主役は蒸気なのだと意識を改めました。そして、フィンランド式ストーブなしに湿潤な蒸気を発生させるにはどうすれば良いのか、という無理難題について真剣に考え始めたのです。

はじめはなんと、拾ってきた石をフライパンで熱し、皿に盛ってサウナ室に持ち込むという原始的手法からスタートしたそう。そこから、より多くの蒸気が噴出するよう試行錯誤を繰り返して行き着いたのが、巨大な寸胴鍋に20キロあまりの石を効率よく積み上げた「世界でひとつのＤＩＹポータブルストーブの携帯」という、前代未聞のスタイルでした。

今日でもサービスタイムの1時間前から井上自らガスコンロに点火し、浴室の片隅で石がぎっしり詰まった鍋をカンカンに熱し始めます。彼のその流儀を知らない新参客は、このスタッフはなぜ浴室で調理などしているのだろう？　と首を傾げながら背後を通り過ぎてゆきます。

時間が来ると、井上はトレードマークの〈熱波道〉Tシャツ姿となり、巨大バスタオルを肩に掛け、格闘時代の勲章でもある頑丈な二の腕で熱々の鍋を持ち上げます。そして、彼の登場をいまかと待ち受ける、裸の男性客で満席になったリング……否、サウナ室に、「パネッパ!!」の合言葉を響かせ颯爽と入場するのです。さあ、誰にも真似できない灼熱のショータイムのはじまりです。

●殿方の疲弊した心身に寄り添う、迫真のセッション

熱波サービスの持ち時間は、客の耐久力を考えてもわずか十数分ですが、井上のセッションは、まず人一倍長い前口上でスタートします。たわいない世間話に始まり、ときに僧侶の説法

のように、ときに歌舞伎役者のように、ドスの利いた低音ボイスで力強く情感こめて、サウナでの呼吸法や心得を語りかけます。とはいえ、あまりに語りのパートが長いもので、タオルを動かし始める前に熱さに耐えかねて退出してゆく客もいます。

　ちなみに井上は、途中退出する客一人ひとりに必ず「この勇気ある紳士に拍手を！」と注意を向け、敬意を表します。普段の男性サウナでは、人より長くとどまらねばというプライドから、つい自身の限界を顧みず立ち退きを渋る人が多いといいます。だからこそ、自分の心身の声に耳を傾けて恥じらうことなく途中退出できる人はむしろ称えるべきだ、というのが元レスラー井上の信念のひとつです。

　また、彼はレスラー時代の習性の名残で、常に客一人ひとりの微細な表情や体調変化を鋭く観察しています。そして、これ以上我慢すべきでない兆候が見られる客には、セッション中でも躊躇なく個別に声をかけて、穏やかに即時退出を促します。ひとり退出するごとに新たにひとり、サウナ室外の長蛇の列から、井上のセッションを求めてすばやく途中入室してきます（※おふろの国では2021年秋以降、この行列緩和のために週末の熱波サービスを有料化し、定員制としました）。

　セッションを開始してからかれこれ5、6分後、井上はようやくDIYストーブに勢いよく水をぶちまけ、そこから沸き立つロウリュの柱を切り裂くように、ダイナミックに大判タオルを振り始めます。余計なパフォーマンスは挟まず、ただただ強靭な腕力で蒸気を撹拌させ、途切れなく四方八方へと熱波を送り届けるのが、当初から井上が貫くスタイルです。

　元レスラーの生む熱波の威力や獰猛な動作のインパクトは強烈です。ある人はぐっと歯を食いしばりながら、ある人はバレーボールのトスのように両腕を持たげ天井を仰ぎ見ながら、全身に汗をほとばしらせて熱の波動を受け止めます。

　それは一見、カリスマレスラーのパフォーマンスに熱狂する観客席のようでもあり、そもそも入浴客一人ひとりがレスラー同様に苦悶の顔で自身の精神力と闘いながら、同時に快感や充足感を表情に浮かべている……という、なかなか不思議な光景

おふろの国の林店長と井上　林が路頭に迷う井上を熱波の世界に引き抜いた

ロウリュ用DIYストーブ　井上が自作、改良した20キロを超える鍋ストーブ

ファングッズ販売コーナー　店頭では井上や熱波道をモチーフにしたグッズ販売を行なう

です。井上がいつも前口上で促すように「苦しみや悲しみをすべて汗に流して」いるからなのか、おもむろに眼から涙を流す参加者もしばしばいるのだとか。

かかあ天下なお国柄のフィンランドでも、サウナのなかでは男性たちが情緒的になりやすく、他所で言えない本音を語るといわれます。もしかしたら、職場や家庭で人知れず悲哀を請け負う日本の男性たちも、サウナの熱と井上の慈愛に満ちた闘魂の相乗効果で、派手に熱狂しつつも実は魂を救済されているのでしょうか。エンディングにはサウナ中に拍手が響き渡り、客も熱波師も一体となって、笑顔で互いを称え合います。

井上が我流の熱波を始め、おふろの国の看板熱波師の座について十年あまり。彼に憧れた後進者も育ち、いまやどこの施設に行っても、若き熱波師たちによる、より技巧をこらしたエンタメ性の高いセッションが受けられる時代になりました。けれど元祖レジェンドの、泥臭くも情熱溢れる〈鍋奉行スタイル〉のセッションにこころを掴まれ、彼の熱波を追っておふろの国や出張イベントに足を運ぶファンは、むしろいまなお増え続けています。

「井上さんが、いまの日本の華やかなエンタメ・サウナのカルチャーを切り拓いてくれたことは疑いない。サウナで観客を巻き込む力はいまでも圧倒的だし、熱波を通じて明日を生きる力を与えてくれる、時代に左右されない究極のエンターテイナー」

セッション終了　全員の客の退出を見届け、特大バスタオルと鍋を抱えてすぐ次のセッションの準備へと向かう

――いまは鳥取でその意思を受け継ぐ元後輩の女性アウフギーサー**五塔熱子**さんも、かつての師匠をそう評価します。

「サウナに熱波なんて、本当は必要ないんじゃないかとも思いながら今日まで続けています。けれど人間誰しも、健康な体で日々しっかり汗さえかけば、ご飯が美味しくなって夜によく眠れる。そしてまた明日も頑張れるんです。これからもボクにできるのは、お客さんのそのシンプルな生命活動のお手伝いと、ボクに居場所を与えてくれた施設への恩返し、ただそれだけ」

13分に及ぶ怒涛のセッションが終了し、最後まで耐えきった客たちが一目散に水風呂へと向かうところまでを見届けて、井上は真っ赤になった腕で再びストーブ鍋を担ぎ、ゆっくりと浴場を後にしました。

6

SAUNA × SUSTAINABILITY

大森謙太郎

園芸家

国産ヴィヒタ生産のしくみをととのえ、次世代の愛好家たちに森を託す

大森謙太郎（おおもり・けんたろう）
大学で造園学を学び、北海道広尾町で父母が運営する広大な園芸センターの2代目として花苗の栽培や造園業全般に携わる。まだ珍しい国産ヴィヒタの生産を軌道に乗せ、全国のサウナ施設や愛好家から受注を得る。

北海道中南部の小さな港町、広尾郡広尾町に、**大森ガーデン**という全国的に知られた家族経営の花苗農家があります。広尾まちは漁業がさかんですが、内陸部は十勝岳の裾野に接し、豊かな天然森や広大な農地が広がります。この多様な自然資源に恵まれた町の郊外で大森ガーデンの2代目を務める**大森謙太郎**さんは、都内の大学で造園学を学んだあと、家業を継ぐために故郷に戻ってきました。現在は、創業者の両親とともに、所有する畑地や巨大ビニールハウスで千種以上もの花苗を栽培しながら、併設する観光ガーデンや直売店の運営も担っています。

●地元の森に眠る白樺林を活用しながら、サウナ業界へ恩返し

花苗農家の仕事は、イメージよりずっと過酷です。ひと息つけるのは冬の間くらいで、春が訪れ花苗生産とその出荷作業に追われ始めると、日によっては1日18時間の業務に及びます。

2017年夏、慢性的な疲労を感じながらもいつものように得意先への配送作業に車で出かけた大森は、なんと道中、不慮の交通事故に遭ってしまいます。その後遺症で全身の血行不良に悩んでいた折、友人がリハビリに良いはずと勧めてくれたのが、サウナでした。それを機に自宅近くの小さなサウナ付き温浴施設に通うようになり、サウナ→水風呂→外気浴のセットを繰り返し実践するうちに、明らかに血の巡りが良くなり身体が回復してゆく実感が得られたのだそうです。日々の体力仕事にも、サウナのおかげでどうにか復帰することができました。

この体験を経て、大森は自分なりにサウナや温浴業界に恩返しができないかと考えるようになります。ですがもちろん、温浴施設に転職はできません。自身の園芸の知識や経験がサウナに結びつかないものかとリサーチしていてピンと来たのが、フィンランドなどのサウナ文化が根づく国々でサウナ浴の間に使われている、「ヴィヒタ」でした。

フィンランド語で「白樺の葉束」を意味するヴィヒタ（vihta）

は、サウナ室や浴場内に装飾として吊るしておくだけでも、蒸気と混じり合って心地良い自然の香りが空間に広がります。

さらに、フィンランド人のように入浴中に自分の身体を叩いてアロマ効果や肌刺激を楽しんだり、ロシア人やリトアニア人らがサウナ内で行なうヒーリングセッション「ウィスキング」の基本アイテムとしても、活用されます。とりわけウィスキング・セッションは、近年新しい施設サービスとして流行りの兆しを見せており、ロシア人のプロサウナ師に技術を学びにゆく人もいます。

フィンランドでは、白樺林は全土どこの森でも当たり前に見かけます。いっぽう日本では、北方や高山地帯など、涼しい局所でしか白樺は生育しません。しかもそれらは、フィンランドのように資源として計画植林されているわけではなく、活用のノウハウもあまりないのです。このため、「国産ヴィヒタ」の生産はこれまでほとんど行なわれておらず、ヴィヒタの販売やウィスキング・サービスを行なうサウナ施設の多くは、バルト諸国などから乾燥ヴィヒタを輸入しているのが現状です。

ところが幸いにして、大森の暮らす広尾町の森には白樺がたくさん葉を広げています。近隣の私有林の所有者たちにかけ合ってみたところ、使い道の乏しい白樺なら間伐にもなるからと、山林内の白樺林を適宜伐採して買い取らせてもらえることになりました。そこで大森は2018年から、大森ガーデンの新事業として、Moi Vihta!という屋号で国産ヴィヒタの生産販売プロジェクトを始めたのです。

●園芸家の技能とこだわりに満ちた地産ヴィヒタ

国産ヴィヒタはそれだけでも希少価値がありますが、さらに園芸家が手掛けるからには、審美性や耐久性はもちろん、香り、肌触り、握り心地まで使い手に喜ばれるものを届けたい……。大森は、取り寄せた既製品をばらして束ね方を研究し、さまざまなボリュームや長さの枝葉のサンプルを試し続けました。

2021年には、敷地内に試行用のテントサウナ®も設置。一度確立した完成形や生産プロセスも、毎年新緑の季節がくるた

ヴィヒタや白樺の装飾　[おふろcafé]店内のあちこちにMoi Vihta!のヴィヒタや白樺幹が飾られる

ウィスキングサービス　葉束で蒸気を扇動しマッサージやヒーリングを行なう

び磨いてゆきます。ついには完成したヴィヒタを香り豊かに速乾させるための乾燥室も、工場内に特設しました。

こうして大森とスタッフたちが1本ずつ丁寧な手作業でつくった葉束は、夏の間はフレッシュ・ヴィヒタとして、それ以降は乾燥ヴィヒタとして商品化され、大森ガーデンのＥＣサイトで花の苗と並んで売られます。「園芸のプロが束ねる地産ヴィヒタ」は、すぐに愛好家の間で話題となり、毎年飛ぶように売れています。加えて、全国の有名サウナ施設からの大量発注も途絶えません。２０２０年度は、なんと１２００本もの白樺ヴィヒタが広尾町から全国各地へ出荷されました。

埼玉県ほかでサウナに力を入れた入浴施設を展開する**おふろcafé**グループでは、売店での販売用だけでなく、施設内の装飾やサウナ室の芳香、そして白樺のロウリュアロマづくり用にと、ヴィヒタやその制作過程で出る枝葉のパックを、Moi Vihta! から大量に仕入れています。かつて自ら広尾町を訪れ、町内の白樺の森や大森のヴィヒタづくりの現場を見学してきた支配人の**新谷竹朗**さんも、「大森さんのヴィヒタは葉が大きくていつも瑞々しいのですが、制作現場は、徹底した品質管理のための創意工夫に溢れていて納得がいきました。持ち手の麻ひもが丁寧に縛ってあるのも、愛情が伝わります」と、細やかで愛のこもった仕事ぶりに惚れ込んでいます。

●ヴィヒタ生産を持続可能にするための新挑戦

地元の白樺でつくるヴィヒタが、国内のサウナ愛好家たちにこんなにも喜んでもらえる。そのことを大森は嬉しく思ういっぽうで、地元の人たちが管理する森で何十年も生命活動を続けていた木々を、毎年一方的に大量消費するだけの商売モデルに、不完全さも感じていました。

白樺の木１本からできるヴィヒタは、せいぜい2、30本。いまの生産活動を今後も続けてゆくなら、毎年約１６０本もの白樺の木を切り倒し続けなければなりません。

この数は、広尾町の森にある白樺の総数を考えても、すぐに使い切ってしまうほど深刻な数ではありません。けれど、「次世代の」サウナ愛好家や、この希少な樹木を育んでくれる広尾町の風土と人にもしっかり思いを馳せ、誠実で永続性のある営みを続ける努力なしには、誰もが幸せな状態はいつまでも続きません。そこで大森は、２０２０年以降さらに三つの新たなチャレンジに挑んでいます。

ひとつは、Moi Vihta! のつくるヴィヒタを、広尾町のふるさと納税の返礼品へ登録するという試みです。例年何百万人という納税者がふるさと納税制度を活用し、まったく縁のない県や自治体に対しても、魅力的な地物の返礼品を目当てに寄付を行なっているといわれます。つまり、魅力ある返礼品は、各自治体に経済効果をもたらすだけでなく、日ごろ旅に出ない人にも

(上)広尾町の白樺の森　年間150本以上の木を伐採しヴィヒタづくりを行なう　**(右中)ヴィヒタ乾燥室**　香りよく速乾させる工夫が凝らされた乾燥専用室　**(左中)ミズナラでのヴィヒタづくり**　葉のサイズの違いを活かし立体感が出るよう重ねてゆく　**(右下)Moi Vihta! の白樺ヴィヒタ**　持ち手が丁寧に縛ってある点がユーザーに好評　**(左下)白樺の苗木**　ビニールハウス内には植樹用の苗木が待機している

その土地の特産物や工芸品を広く手にとってもらえるチャンスを生み出します。ひいてはそれが、人気商品の生産に携わる地元民のモチベーションや自尊心、郷土愛にも良い影響を与えてくれるのです。

大森が、広尾町の森の白樺でつくるヴィヒタを新たな返礼品の候補として提案するプレゼンを行なったとき、担当職員はなぜ白樺の葉束が売れるのかと不思議な顔をしたようです。けれどいざ登録が決まり、地元の漁港で揚がった海産物とともにその謎めいた葉束の写真がウェブサイトのリストに並ぶと、さっそく全国各地のサウナ愛好家たちの寄付が広尾町に集まり始めました。結果、開始2年ですでに３００本分のヴィヒタが、返礼品として発送されたのだそうです。

続いて、白樺に替わって日本の森でより採取しやすい植物を使った、新しいヴィヒタの開発です。２０２１年の夏は、北海道から九州まで日本全土の山地に自生するミズナラ（オーク）の枝葉を使ったヴィヒタづくりに取り組みました。

葉が固くて大きいミズナラでつくる乾燥ヴィヒタは、使用前に水で戻すのにやや時間がかかるという課題もありますが、強く心地良い特有の香りがあり、葉の表面積が多い分しっかりと熱を肌に送ることができます。また、白樺よりも収穫期が遅いので、時期をずらして生産作業に取り組めるというメリットもあります。

ミズナラヴィヒタがサウナ愛好家たちに迎合されて一般化すれば、北海道に限らず日本のどこでも、無理なくヴィヒタづくりに励めるようになります。そうなれば、将来的に国産ヴィヒタの自給率も上げられるはずです。

そして今後もっとも長期戦を覚悟した上でのチャレンジが、白樺の植林活動です。限りある資源は、使わせてもらった分だけ、いやむしろそれより多く、自分の手で新たに育てて30年先の未来に繋いでゆきたい。その一心で、大森は２０２０年には約千本の白樺の苗木を自社の所有する農地に植え、成長を見守り始めました。1年経ったいま､苗木はすでに彼の身長を超え、人為的な手入れから離れて、自然風土のなかですくすくと育っています。

世界中の企業がいま、サステナビリティやＳＤＧｓといった言葉を掲げた経営理念や活動プロセスで、持続可能な社会の一端を担おうとしています。いっぽう大森は、自身のいまの取り組みはそのような立派な理念からはまだ程遠いと謙遜しつつも、「自分たちの次の世代のサウナ愛好家たちからヴィヒタ生産を志す人が出てきたときに、彼らが存分に活動できる環境をととのえておきたいんです」と、迷いなく語ります。つまり彼は、実は昨今のどのサウナ愛好家や関係者よりも、もう何歩か先の未来を見つめ、空前のサウナブームに沸く時代からの、素敵な置き土産の準備をこつこつ始めているのです。

2021年現在のサウナブームの高潮が、コロナ禍の難しい時代を経て、今後どのような未来へ向かってゆくのか、もちろんいまはまだ誰にもわかりません。けれどクリエイティブサウナの国ニッポンには、ここまで紹介してきた幾人もの志ある功労者たちを筆頭に、さらに多くのサウナ施設関係者や活動家、そして彼らの営みを愛し応援し続ける、無数のサウナ愛好家たちがいます。

その一人ひとりが、大森のようにさらにもう少し先の時代の幸せな未来を思い描いて、自分なりの〈植樹〉の方法を考え、実行に移してゆくとき、託した希望は確かに先へ繋がるはずです。きっとそのとき、有限の〈ブーム〉も持続可能な〈文化〉へと昇華し、脈々と循環してゆくのではないでしょうか。

大森謙太郎と白樺の森　大森が植えた木々もいつかこれほどの大樹になる日を夢見て

おわりに　持続可能なブームが、いつか文化になる

序章の最後で示した、【こだわり】【歴史】【産業化】【プロ愛好家】という四つのテーマの窓から眺めた「日本サウナの視察旅行」は、いかがだったでしょうか。

改めて、思いませんか？　日本人って、なんて凝り性で、器用で、直向きで、人のことを想いやる民族なのだろう……と。

確かに、日本人はいつでも他者や他国の面白そうな事象に（やや過剰なまでに）アンテナを張り、ときに少し節操なく、見様見真似で採り入れることを厭わない民族です。けれどもまもなく、そこへ驚きの独創性や新しい価値をプラスして、より自分たちの感性や風土に適ったものへと生まれ変わらせてゆく。そのやり方に抜群に長けているのです。

それをオリジナリティとかクリエイティビティと呼ぶことに、抵抗がある人もいるでしょう。けれど、模倣を出発点とする創造性は、どんな芸術分野にも存在します。わたしがいま書いているこの文章だって、所詮は先人が生み出した語や表現の集積でしかありません。

ともあれその「更新作業」の原動力になっているのが、自己顕示欲ではなく、他者や社会を慮る気持ちのほう（少なくともうまくいっている事例はいつもそう）であるのは、とても日本人らしいクリエイティビティの姿です。日本のものづくりや場づくりに宿る「想いやり」や「歓待」の精神は、新興ブームに次々新しい人を巻き込み、健全で発展性のある社会的ムーブメントへと拡げていく過程での、何よりの強みです。

日本のサウナ業界で昭和の時代から受け継がれてきた、「人は人によって癒やされる」というモットーは、まさにこの象徴です。わたしたちが日々の癒やしをサウナに求めるとき、素晴らしいサウナと水風呂と外気浴スペース……という環境に癒やされているようで、実はそれもほんの一部です。そのとびきりの〈ととのい〉の場を提供する人たちの、人間らしい偏愛やこだわ

りやホスピタリティにほだされ、癒やされている側面が大きいのではないでしょうか。

とりわけ日本人は、はっとするアイデアと、こころ動かされるストーリーとがかけ合わさったときに、それらを共有し応援したいという衝動に突き動かされ、熱狂し始めます。つまりブームとは、つくり手が受け手のことを想い、受け手がつくり手のことを想うことで共感や協調が生まれ、やがて両者の立場を分け隔てるボーダーが崩れ始めたときに、一気に活力と求心力が増すものなのです。

昨今の日本における「サウナブーム」は、まさにつくり手（施設）のクリエイティビティと受け手（愛好家）のレスポンスとが噛み合い、ボーダーレス、すなわち両者が共に互いを支え合う世界になりつつあります。だからこそ、ここまで絶大な盛り上がりを見せているのだろう、というのがわたしの見解です。意欲とリソースをもつ人が、もっと面白いサウナをつくり運営する。愛好家たちは、個人的な体験や感動をＳＮＳで逐一言語化し、波及させる。さらにプロ愛好家たちが、専門スキルや影響力を駆使して産業化の可能性を押し拡げてゆく。つまり、サウナが好きだという想いで集ってきた多様な人びとが、それぞれの立場で無意識に役割を果たし、とても良好な生態系が築かれているのが、日本サウナブームの実態なのです。

序章で、そんな日本サウナの有り様を〈巨大コロニー〉みたいなものだと例えました。けれどそれは、新規参入しづらい閉鎖的な世界だという意味ではありません。サウナはいつも誰もを等しく癒やしてくれる、あたたかで心地良い居場所です。だからまずはサウナに足を運んで、ご自身のこころと体で、その感覚体験の真髄を味わってください。「サウナが好き」という純粋な気持ちこそが、コロニー参入のための唯一にして絶対的なパスポートです！

実はここまで、わたしは一度も日本サウナ〈文化〉と呼ばず、敢えて〈ブーム〉と表現してきました。おそらく多くの人が、日本のサウナはこのままブーム止まりなの？　一体いつになったら文化と呼んでよいの？　とヤキモキしていると思います。

文化かそうでないか、それを分かつための納得いく定義づくりは、どんな高名な学者にもできません。ある意味で、「名乗ったもの勝ち」の世界かもしれません。けれど最後に、曲がりなりにも肩書をサウナ「文化」研究家としているわたしの個人的な思いに、少しだけ耳を傾けてくだされば、幸いです。

文化と呼べるものごとに欠かせないのは、「風土との相性」と「持続性」だと、わたしは考えています。近代に日本が「文化」という訳語を充てたドイツ語「クルトゥール（Kultur）」、つまり英語の culture という語の起源は、ラテン語の colore（耕す）という動詞です。作物の収穫のために土を耕す行為が象徴するのは、第一に自然現象ではなく「人の営み」であること。それから、その場所の「気候風土に寄り添う」知恵と工夫が必要であること。そして、その土地を繰り返し「使い続けてゆく」ための作業であること。この三つのエッセンスが受け継がれているのであれば、それは「文化」と誇ってもよいのではないでしょうか。

いまの日本サウナの在り方は、現象として非常に日本的であり、かつ個々に見ても、それぞれの地域風土の特色を味方につけたユニークさを内包していることは、これまで紹介してきたとおりです。近年は、地域風土を活かしたサウナづくりから、サウナを活かした地域風土づくりに活動が及んでいることからも、すでにサウナは日本という国に根を張り、この風土で豊かな実りをもたらす存在になってきているのは間違いありません。

いっぽう「持続性」という観点ではどうでしょうか。二章で紹介したように、古来日本人は蒸気浴の独自文化を育んできました。ですが、フィンランドのように何千年と持続させてきた「伝統」のたくましさと比較しては、やはり熟成期間が浅く軟弱だったのは否めません。

ただしここで目を向けるべきは、経年数ではなく、「未来に繋げる意思や努力があるか」ではないでしょうか。つまり、いまだけ楽しければよい、ではなく、将来の世代の人たちがサウナの恩恵を受け続けるために、自分は何ができるかを考えることです。

少し先の世界を想いやるという営みが、まさに現代においてさかんに議論される、サステナビリティやSDGsといった価値観の原点です。昨今はフィンランドでもサウナに限らず、本当に良いものだけを残し、自らの消費生活や企業や社会を少しでも持続可能な体質に変えていこうとする動きがとても活発です。

「はじめに」でも弁解しましたが、もともとこの本は、フィンランド人に日本サウナのいまを知ってもらいたいという動機で取材し、綴り始めたものです。日本らしいサウナ施設や活動の事例を見つけるのは、ある意味でとても簡単でした。ですがひとつだけ最後まで腐心したのが、現代のフィンランド人がもっとも関心や期待を寄せるテーマでもある、【サウナ×サステナビリティ】の観点で、日本での先進的な取り組みの事例を探すことでした。

日本人は、いま目の前にいる人たちを癒やし楽しませようとする熱量は抜群ですが、さらに未来の人や社会を見据えた活動に重きを置く人は、もしかしたらまだ少ない（目立たない）のかも知れません。そんななかで、大森ガーデンの大森謙太郎さんが、30年後のサウナ愛好家のために黙々と白樺の木を植え続けているというエピソードは、日本サウナの未来にとっての貴重な希望の種に思えたので、全章の最後に紹介させてもらいました。

日本のサウナブームは、地域風土との相性という面ではすでに十分、文化としての素養をもっています。だからあともうひと押し、この素敵な営みを持続し「ブーム」を「文化」へと昇華させるために、施設側も愛好家も、おのおの何ができるかを考えて実践する……そんな最終段階にあるように思います。

繰り返しますが2021年現在、世界中の公衆浴場産業が未曾有の感染症問題で等しく苦しみ、暗いムードを払拭できていないなかで（もちろん日本でも残念ながらこの期間に廃業を余儀なくされた店舗もありましたが）、こんなにも希望を失わず活気に満ちた温浴業界が存在するのは、まさに日本くらいなのです。わたしは日本人としてこのことを誇りに思い、日本サウナ発のアイデアや熱量を、今後フィンランド人にも伝え還元してゆかねばと思っています。まもなく「日本サウナ文化」の姿が誰しもの眼にはっきりと映る未来を想像し、それをこころから楽しみにしながら。

最後に、前著に引き続き全力伴走してくださった編集者の岩切江津子さん、今回も素敵な装丁を纏わせてくださった佐野研二郎さんと曽我貴裕さん、ご多忙のなか最初の読者となってくださった原田泰造さん、親身に取材協力くださったエキスパートの方々、そして魅力的な写真と日々の対話で執筆作業を励まし続けてくれた、カメラマン兼ベストパートナーの村瀬健一さん。皆さん、本当にありがとうございました。またどこかのサウナで会いましょう！

2021年12月某日

こばやしあやな

大自然を感じながら外気浴

著者略歴

こばやし あやな

サウナ文化研究家

1984年岡山県生まれ、大阪・神戸育ち。大阪大学大学院に在学中、フィンランド・ヘルシンキ工科大学（現アールト大学）建築学科に留学し、帰国後にフィンランド語の独学を始める。東京で雑誌編集者として働いたのち、2011年フィンランドに移住しユヴァスキュラ大学人文学部で芸術教育学を学ぶ。同時期に「Suomiのおかん」の屋号を掲げ、在住コーディネーター、ライター、通訳翻訳者としての活動を開始。「フィンランド公衆サウナの歴史と意義」というテーマで執筆した修士論文が話題になり、2016年に同大学院修士課程を首席で修了。卒業後に起業しコーディネート業務を続けるかたわら、サウナ文化のエキスパートとして、日フィン両国のメディア出演や講演活動、諸外国の浴場文化のフィールドワークを行なっている。2018年に著書『公衆サウナの国フィンランド』（学芸出版社）を出版。

撮影者略歴

村瀬 健一（むらせ けんいち）

カメラマン

1987年大阪府生まれ。東京を拠点に、プロモーションやドキュメンタリー番組などの映像および写真の撮影・ディレクションを行なう。「マグ万平ののちほどサウナで」（MRO北陸放送）ほかサウナ番組も撮影。フィンランド個人旅行ではじめてサウナの心地良さや独特の文化を体感し、さらに誕生日が3月7日（サウナの日）であることからも、サウナとの縁が深まってゆく。

クリエイティブサウナの国ニッポン

2021年12月20日 第1版第1刷発行

著　者　　こばやしあやな

発行者　　井口夏実

発行所　　株式会社 学芸出版社

京都市下京区木津屋橋通西洞院東入

〒600-8216　電話075-343-0811

http://www.gakugei-pub.jp/

E-mail:info@gakugei-pub.jp

編集担当　　岩切江津子、古野咲月

営業担当　　中川亮平

装丁・デザイン　　佐野研二郎（MR_DESIGN）

曽我貴裕（MR_DESIGN）

DTP　　梁川智子（KST Production）

印刷・製本　　シナノパブリッシングプレス

ISBN978-4-7615-2802-7